ASTRID LINDGREN

PIPPI
ȘOSEȚICA

Poveştile despre Pippi Şoseţica sunt, poate, cele mai cunoscute şi cele mai iubite poveşti scrise de **Astrid Lindgren,** care şi-a început cariera de scriitoare în 1944. În acelaşi an a câştigat un concurs de cărţi pentru copii. A publicat peste patruzeci de romane pentru toate vârstele şi a câştigat numeroase premii, inclusiv prestigioasele premii Hans Christian Andersen şi Premiul Internaţional pentru Carte.

Astrid Lindgren

Pippi
Șosețica

Ilustrații de Ingrid Vang-Nyman

Descrierea CIP a Bibliotecii Naționale a României
LINDGREN, ASTRID
    Pippi Șosețica / Astrid Lindgren; trad.: Alexandra
Turturea; il.: Ingrid Vang-Nyman. - București: RAO
International Publishing Company, 2007
    ISBN 978-973-103-364-8

I. Turturea, Alexandra (trad.)
II. Vang Nyman, Ingrid (il.)

821.113.6-93-31=135.1

RAO International Publishing Company
Grupul Editorial RAO
Str. Turda nr. 117–119, București, România
www.rao.ro
www.raoboooks.com

ASTRID LINDGREN
Pippi Långstrump
Ediție princeps: Rabén & Sjoegren Bokfoerlag AB,
Stockholm, Suedia

Ilustrații interior și copertă
INGRID VANG-NYMAN

Traducere din limba engleză
ALEXANDRA TURTUREA

martie 2008

ISBN 978-973-103-364-8

Cuprins

Cuprins

Pippi se mută
în Căsuţa Villekulla

La marginea unui orăşel suedez, era odată o livadă bătrână, sălbăticită. Şi în livadă era o căsuţă, iar în căsuţă locuia Pippi Şoseţica. Fetiţa avea nouă ani şi locuia complet singură. Nu avea mamă sau tată, ceea ce era destul de bine, pentru că în acest fel nu avea cine să îi spună să se ducă la culcare exact când se distra cel mai bine, şi nici să o oblige să ia untură de peşte atunci când ea avea chef să ronţăie bomboane mentolate.

Pe vremuri, Pippi avusese un tată, pe care îl iubise tare mult. Avusese, bineînţeles, şi mamă, dar asta se întâmpla demult, demult de tot.

Mama lui Pippi murise când Pippi era doar un bebeluş întins în legănaşul lui, urlând atât de tare, încât nimeni nu se putea apropia de ea. Pippi credea că mama ei trăia acum undeva sus, în Rai, şi că-şi privea fetiţa printr-o gaură în cer. De multe ori Pippi îi făcea semn cu mâna şi-i spunea: „Nu-ţi face griji, pot să-mi port singură de grijă!"

Pippi nu-şi uitase tatăl. El fusese căpitanul unui vas şi navigase pe marile oceane ale lumii. Pippi fusese şi ea cu tatăl ei pe vas, până într-o zi când acesta a fost smuls de valuri în timpul unei furtuni şi a dispărut. Dar Pippi era destul de sigură că într-o bună zi el se va întoarce, pentru că nu crezuse niciodată că tatăl ei se înecase. Era convinsă că naufragiase pe o insulă deşertică, una cu mulţi, mulţi canibali şi că tatăl ei ajunsese regele canibalilor şi îşi vedea de dregătoria lui cu o coroană de aur pe cap.

– Tatăl meu este Regele Canibalilor; nu există prea *mulţi* copii cu un asemenea tată!

zise Pippi, foarte mândră de ea. Şi când tatăl meu îşi va construi o corabie, o să vină să mă ia, şi atunci eu voi fi Prinţesa Canibalilor. Ce viaţă o să ducem!

Tatăl lui Pippi cumpărase vechea căsuţă din livadă cu mulţi ani în urmă. Îşi dorise foarte mult să locuiască acolo cu Pippi atunci când îl vor ajunge bătrâneţele şi nu va mai colinda mările. Dar apoi a fost smuls de talazuri şi tras în mare şi, cum Pippi îl aştepta să se întoarcă, fetiţa s-a dus direct acasă la Căsuţa Villekulla, aşa cum se numea casa lor. Căsuţa stătea acolo mobilată gata, aşteptând-o. Aşa că, într-o frumoasă seară de vară, Pippi şi-a luat rămas-bun de la toţi marinarii de pe vasul tatălui ei. O plăceau cu toţii foarte mult, şi Pippi ţinea foarte mult la ei.

– La revedere, băieţi! le spuse Pippi, sărutându-i pe toţi pe frunte. Să nu vă faceţi griji în privinţa mea. Pot să-mi port şi singură de grijă!

De pe vas nu a luat decât două lucruri: o maimuţică al cărei nume era Domnul Nelson (un cadou de la tatăl ei) și o valiză uriașă, plină cu monede de aur. Marinarii au stat pe marginea vasului și au privit-o pe fetiță până când a dispărut cu totul. Pippi se depărtă fără să privească înapoi măcar o dată, cu Domnul Nelson pe umăr, ținând zdravăn valiza.

– Un copil remarcabil, zise unul dintre marinari, ștergându-și o lacrimă, când Pippi nu se mai zărea deloc.

Și omul avea dreptate. Pippi era un copil remarcabil, și cel mai remarcabil lucru la ea era forța ei. Fetița era *atât* de puternică, încât în toată lumea nu exista un polițist mai puternic decât ea. Putea să ridice un cal întreg dacă așa ar fi vrut. Și erau momente când *chiar* voia să facă asta. Pippi și-a cumpărat un cal numai al ei cu una dintre monedele de aur chiar în ziua când a ajuns la Căsuța Villekulla. Întotdeauna își dorise să aibă un cal numai al ei, iar acum era unul de-adevăratelea chiar pe veranda casei. Când Pippi dorea să-și servească acolo ceaiul de după-amiază, pur și

simplu îl lua în brațe și îl ducea în livadă fără prea multe comentarii.

Lângă Căsuța Villekulla se întindea o altă livadă, cu o altă casă. În acea casă locuiau o mamă și un tată cu cei doi copii ai lor, un băiat și o fată. Băiatul se numea Tommy, iar fetița, Annika. Amândoi erau tare cuminți și politicoși, niște copii foarte ascultători. Tommy nu își rodea unghiile *niciodată*, și *întotdeauna* făcea doar ce îi spunea mama lui. Annika nu se răsfăța niciodată când nu-i erau lucrurile pe plac, și era *întotdeauna* foarte frumos îmbrăcată, în rochițe de bumbac proaspăt călcate.

Tommy și Annika se jucau tare frumos împreună în livada lor, dar de multe ori își doreau un partener de joacă. Pe vremea când Pippi era mereu pe mare cu tatăl ei, cei doi copilași stăteau pe gard, puțin cam triști, și își spuneau unul altuia:

– Ce păcat că nu se mută nimeni în casa vecină! Ar trebui să locuiască cineva acolo; cineva care să aibă copii.

În acea zi frumoasă de vară, când Pippi trecu pentru prima dată pragul Căsuței Villekulla, Tommy și Annika nu erau acasă. Își petreceau săptămâna cu bunica lor, așa că habar nu aveau că cineva se mutase în vecini. Prima zi

după reîntoarcerea lor acasă, stăteau amândoi
la poartă şi se uitau de-a lungul străzii, şi încă
nu ştiau că le venise o parteneră de joacă şi că
era atât de aproape de ei. Şi cum stăteau ei aşa
şi se gândeau ce să facă, întrebându-se dacă se
va întâmpla ceva *special* în ziua aceea sau
dacă va fi iarăşi o zi plictisitoare, când nu ştii
ce să faci, ei bine, exact atunci poarta Căsuţei
Villekulla se deschise şi apăru o fetiţă. Era cea
mai curioasă fetiţă pe care Tommy şi Annika
o văzuseră vreodată. Era Pippi Şoseţica
ducându-se la plimbarea de dimineaţă. Iată
cum arăta ea:

Părul ei avea aceeaşi culoare cu morcovii,
şi era împletit în două codiţe ţepene care
ţâşneau drept din capul fetiţei. Nasul avea
forma unui cartofior mic-mititel, presărat cu
pistrui. Imediat sub nas se găsea o gură foarte
mare, cu nişte dinţi albi, sănătoşi. Rochiţa lui
Pippi era şi ea tare curioasă. Pippi o făcuse
cu mâna ei. Iniţial, trebuia să fie albastră, dar
cum nu avusese suficient material albastru,

Pippi se hotărâse să adauge petice roşii pe ici, pe colo. În picioarele ei lungi şi subţiri, fetiţa purta nişte şosete lungi, una maro şi cealaltă neagră. Mai purta şi o pereche de pantofi negri care erau de două ori mai mari decât ar fi trebuit. Tatăl ei îi cumpărase în America de Sud pentru Pippi, când se va face mare, dar Pippi nici nu voia să audă de alţii.

Dar lucrul care îi făcu pe Tommy şi pe Annika să caşte larg ochii fu maimuţica de pe umărul fetiţei celei ciudate. Era mică, avea o coadă lungă şi purta pantalonaşi albaştri, o jachetică galbenă şi o pălărioară albă de pai.

Pippi mergea pe stradă, păşind cu un picior pe trotuar şi cu unul pe strada propriu-zisă.

Tommy şi Annika o priviră până când o pierdură din vedere. Dar într-o clipă fetiţa se întoarse, mergând cu spatele. Asta pentru că nu voia să se mai obosească să se întoarcă atunci când merge spre casă. Când ajunse în dreptul porţii lui Tommy şi a Annikăi, se opri. Copiii se priviră unul pe altul în tăcere. Într-un final, Tommy zise:

— De ce mergi cu spatele?

— De ce merg cu spatele? zise Pippi. Asta-i o ţară liberă, nu? Nu pot să merg cum vreau? Păi, lasă-mă să-ţi spun, în Egipt *toată lumea* merge aşa şi nimeni nu crede că e ceva aiurea.

— Cum de ştii asta? întrebă Tommy. Doar nu ai fost în Egipt?

— Dacă am fost în Egipt! Poţi să faci pariu pe încălţările tale că am fost acolo. Am fost peste tot prin lume şi am văzut lucruri mai ciudate decât oameni care merg cu spatele. Mă întreb ce ai fi zis dacă aş fi mers în mâini, aşa cum merg oamenii din Indochina?

— Asta e o minciună, protestă Tommy.

Pippi cugetă o clipă:

– Da, ai dreptate, zise ea cu tristeţe, n-am spus adevărul.

– Nu e frumos să minţi, zise şi Annika, prinzând glas.

– Ba chiar e *foarte* urât, spuse Pippi, mai tristă decât înainte. Dar, vedeţi voi, din când în când uit. Cum poţi să te aştepţi ca un copil a cărui mamă este un înger şi al cărui tată este Regele Canibalilor şi care şi-a petrecut toată viaţa colindând mările să spună adevărul întotdeauna? Şi dacă tot vorbim despre asta, zise ea cu un zâmbet înflorindu-i pe faţa pistruiată, pot să vă spun că în Congoul belgian nu există nici măcar un singur om care să spună adevărul. Toarnă gogoşi cât e ziua de lungă, în fiecare zi, începând cu şapte dimineaţa şi o ţin tot aşa până la apusul soarelui. Dacă spun vreo gogonată din când în când, încercaţi să mă iertaţi, amintiţi-vă că e numai din pricină că am stat cam prea mult în Congoul belgian. Dar rămânem prieteni, nu-i aşa?

– Bineînţeles, zise Tommy, realizând deodată că aceasta nu avea să fie una dintre zilele acelea plictisitoare.

– De ce nu veniţi să luaţi micul dejun la mine acasă? întrebă Pippi.

– Păi, da, zise şi Tommy, de ce nu? Haidem!

– Da, spuse Annika. Chiar acum!

– Dar mai întâi lăsaţi-mă să vi-l prezint pe Domnul Nelson, zise Pippi.

Maimuţica îşi ridică politicoasă pălăriuţa.

Aşa că au intrat cu toţii pe poarta livezii celei sălbăticite, spre Căsuţa Villekulla, pe cărarea dintre copacii îmbrăcaţi în muşchi (copaci numai buni să te urci în ei, observară copiii). Când ajunseră la verandă, dădură peste calul care stătea şi el acolo, mestecând ovăz dintr-o oală de supă.

– De ce ai un cal pe verandă? se minună Tommy.

Toţi caii pe care îi ştia el stăteau în grajduri.

– Ei bine, zise Pippi după ce cugetă asupra problemei, în bucătărie mi-ar sta în cale, iar în salon nu-i prea prieşte.

Tommy şi Annika mângâiară calul, apoi intrară în casă. Casa avea o bucătărie, un salon şi un dormitor. Dar se părea că Pippi uitase să mai primenească încăperile în săptămâna aceea. Tommy şi Annika se uitau cu mare grijă în jur, în caz că Regele Canibalilor s-ar ivi din vreun colţ. Nu văzuseră niciodată în viaţa lor un Rege al Canibalilor. Dar nu era nici urmă de tată sau de mamă, aşa că Annika întrebă temătoare:

– Locuieşti aici de una singură?

– Bineînţeles că nu, zise Pippi. Şi Domnul Nelson locuieşte aici.

– Sigur, dar nu ai şi o mamă şi un tată cu tine?

– Nu, răspunse Pippi veselă.

– Atunci cine îţi spune când să te duci la culcare şi alte lucruri asemănătoare? o întrebă Annika.

– Eu îmi spun singură, zise Pippi. Prima dată, mi-o spun pe un ton prietenos şi, dacă nu ascult de mine, îmi mai zic o dată, mai serioasă, şi dacă *tot* nu ascult, apoi iese tămbălău mare, crede-mă!

Tommy şi Annika nu prea înţelegeau ei cum vin toate astea, dar li se părea un aranjament bun. Între timp, ajunseseră în bucătărie şi Pippi începu să cânte:

Aici clătite o să coacem, acum,
Aici clătite o să servim, acum,
Aici clătite o să facem, acum!

După care luă trei ouă şi le aruncă în aer. Unul dintre ele i se sparse în cap, iar gălbenuşul i se scurse pe ochi. Dar pe celelalte le prinse cum trebuie într-un castron, unde ouăle se sparseră şi se amestecară.

– Întotdeauna am auzit că gălbenuşul de ou este bun pentru păr, zise Pippi, ştergându-şi faţa. O să vedeţi ce repede creşte, o să-l auziţi

scârțâind! În Brazilia, dacă tot vorbim despre
asta, *toată* lumea merge cu gălbenuș în păr.
Nu vezi un cap chel. Odată era un om bătrân
care era atât de ciudat, încât *mânca* ouăle în
loc să și le pună în cap. Ajunsese destul de
chel, iar atunci când ieșea pe stradă, traficul
se oprea și trebuia să cheme poliția.

În timp ce vorbea, Pippi scoase pur și sim-
plu cu degetele cojile de ou din castron. Apoi

puse mâna pe o perie de baie care atârna pe
perete şi începu să bată compoziţia atât de
energic, încât sări şi pe pereţi. Într-un final
aruncă ce mai rămăsese pe o plită de pe ara-
gaz. Când clătita se prăji pe o parte, o aruncă
până aproape de tavan; clătita se învârti în aer
şi Pippi o prinse din nou în tigaie. Şi când s-a
făcut, o aruncă în celălalt capăt al bucătăriei,
drept la ţintă într-o farfurie de pe masă.

– Mâncaţi! ţipă fetiţa. Mâncaţi-o până nu
se răceşte!

Tommy şi Annika mâncară clătita şi li se
păru tare gustoasă. După aceea, Pippi îi invită
în salon. În această încăpere era o singură
piesă de mobilier. Era un dulap imens, cu
multe, multe sertăraşe. Pippi le deschise unul
câte unul şi le arătă lui Tommy şi Annikăi
toate comorile pe care le ţinea acolo. Erau
ouă ciudate de pasăre şi pietre, şi scoici
nemaivăzute, cutioare minunate, oglinzi de
argint atât de frumoase, un colier de perle şi
multe, multe alte lucruri, toate cumpărate de

Pippi și tatăl ei în călătoriile lor în jurul lumii. Pippi le făcu apoi câte un cadou fiecăruia dintre cei doi parteneri de joacă. Tommy primi un cuțit cu un mâner strălucitor din sidef, iar Annika primi o cutioară cu capacul decorat cu scoici nemaivăzute. Iar în cutie era un inel cu o piatră verde.

– Dacă vreți să plecați acasă acum, zise Pippi, veți putea să vă întoarceți din nou mâine. Pentru că, dacă nu vă duceți acasă, nu o să puteți să vă întoarceți, și *chiar* ar fi păcat.

Tommy și Annika îi împărtășeau părerea, așa că plecară înapoi acasă. Trecură pe lângă cal, care mâncase tot ovăzul, și ieșiră pe poarta Căsuței Villekulla. Domnul Nelson își agită pălărioara, luându-și rămas-bun.

Pippi devine un adevărat Descoperilă și se ia la bătaie

Annika se trezi surprinzător de devreme a doua zi de dimineață. Sări din pat și lipăi prin odaie spre patul lui Tommy.

– Tommy, trezește-te! zise ea, trăgându-l de mână. Hai să mergem să vedem ce mai face fetița cu pantofii uriași!

Într-o clipă, Tommy era complet treaz.

– Tot timpul cât am dormit, am știut că astăzi va fi o zi frumoasă, deși nu puteam să-mi aduc aminte de ce exact, zise el, luptându-se să-și scoată cămășuța de la pijama.

Apoi intrară amândoi în baie și se spălară și, credeți-mă, se spălară pe dinți mult mai

repede decât de obicei. Erau tare veseli, şi se
îmbrăcară în mare grabă. Cu o oră mai de-
vreme decât se aştepta mama lor, cei doi
copii alunecară pe balustrada scării şi ateri-
zară direct la masă pentru micul dejun, unde
se aşezară şi începură să strige în gura mare
că ei vor obişnuita lor ciocolată caldă „acum,
chiar *acum!*"

– Îmi permiteţi să vă întreb, zise mama
lor, ce vă face să vă grăbiţi aşa?

– Ne ducem în vizită la fetiţa care de-abia
s-a mutat în casa vecină, răspunse Tommy.

– S-ar putea să stăm la ea toată ziua! adău-
gă Annika.

În dimineaţa aceea, Pippi făcea biscuiţi.
Făcuse coca, o grămadă mare cât un munte,
şi tocmai o întindea pe podeaua bucătăriei.

– Fin'că îţi dai seama, îi explică Pippi
maimuţicii, la ce folos îţi este o planşetă de
întins coca, când ai de gând să faci cel puţin
cinci sute de biscuiţi?

Aşa că muncea de zor pe podea, decupând biscuiți în formă de inimioare, de parcă viața ei depindea de lucrul acesta.

– Domnule Nelson, te rog, nu mai păși prin cocă, se stropși ea la maimuțică; în același moment, se auzi soneria de la ușă.

Pippi alergă să deschidă ușa. Era albă ca un morar din cap până-n picioare și, când dădu mâna cu Tommy și cu Annika, în stilul ei aparte, viguros, cei doi fură învăluiți într-un norișor de făină.

– Ce drăguț din partea voastră că ați venit pe la mine, zise ea, scuturându-și șorțulețul și ridicând un alt nor alb de făină. Tommy și

Annika inhalaseră atâta făină, încât începură
să tuşească.

— Dar ce faci? o întrebă Tommy.

— Ei bine, dacă ţi-aş spune că tocmai cu-
răţam hornul, nu m-ai crede, eşti prea isteţ
pentru asta, răspunse Pippi. Tocmai făceam
biscuiţi. Dar o să termin îndată. Între timp,
puteţi să luaţi loc pe laviţă.

Pippi putea să lucreze cu *mare* viteză.
Tommy şi Annika stăteau pe laviţă şi o pri-
veau cum îşi croia drum prin cocă, cum arun-
ca biscuiţii pe tăvi, şi cum trântea tăvile în
cuptor. Parcă era ceva rupt din filme.

— Gata, răsuflă Pippi într-un sfârşit, trân-
tind cu mare zgomot uşiţa cuptorului după ce
pusese înăuntru şi ultima tavă cu biscuiţi.

— Păi şi-acum ce facem? întrebă Tommy.

— Nu ştiu ce aveţi *voi* de gând să faceţi,
zise Pippi, dar, în ceea ce mă priveşte, nu-mi
place să lenevesc. Vedeţi voi, eu sunt un
adevărat Descoperilă, aşa că, bineînţeles, nu
am un moment liber.

– Ce ai spus că ești? întrebă mirată Annika.

– Un Descoperilă.

– Ce-i asta? întrebă Tommy.

– O persoană care găsește chestiile care pot fi descoperite numai dacă le cauți, desigur. Ce altceva ar putea să fie? zise Pippi, măturând într-o grămăjoară toată făina care fusese împrăștiată pe podea. Întreaga lume este plină de lucruri care așteaptă să apară cineva și să le descopere, și exact asta face un Descoperilă, un „găsitor de chestii".

– Ce fel de lucruri? întrebă Annika.

– O, *tot* felul, zise Pippi. Pepite de aur și pene de struț, și șoricei morți, și inele de elastic, și potârnichi mititele, genul ăsta de lucruri.

Lui Tommy și Annikăi li se părea ceva foarte amuzant, și vrură imediat să devină și ei găsitori-de-chestii, deși Tommy zise că el spera să găsească o pepită de aur, și nu o potârniche.

– Ei, trebuie să așteptăm și să vedem, zise Pippi. Întotdeauna găsești ceva. Dar trebuie să ne grăbim, ca să nu ne-o ia înainte alți găsi-tori-de-chestii, să ne ia toate pepitele de aur și lucrurile care ne așteaptă pe aici, prin jur.

Cei trei Descoperilă purceseră la drum. Ajunseră la concluzia că cel mai bine era să înceapă căutările lor prin jurul caselor din vecinătate, pentru că Pippi le zisese că, deși micile potârnichi trăiau în pădure, cele *mai bune* lucruri se găseau, aproape întotdeauna, pe lângă casele oamenilor.

– Deși nu întotdeauna, mai zise ea. Am văzut să se întâmple și pe dos. Țin minte că pe vremuri căutam chestii în jungla din Borneo. Ce credeți că am găsit chiar în inima junglei, unde nu fusese niciodată picior de om? Un picior de lemn nemaipomenit! Mai târziu i l-am dat unui bătrân care nu avea decât un picior și mi-a zis că nu erau destui bani pe lume ca să cumpere un picior de lemn cum era acela!

Tommy și Annika o urmăriră pe Pippi ca să învețe cum se poartă un Descoperilă.

Fetița alerga de pe o parte a străzii pe cealal-
tă, punându-și mâna streașină la ochi,
căutând și iar căutând. Din când în când se
târa în genunchi și băga mâna printre scân-
durile vreunui gard, comentând pe un ton
dezamăgit:

– Ciudat! Eram *sigură* că am văzut o pe-
piță de aur!

– Chiar poți să iei tot ce găsești? o întrebă
Annika.

– Sigur că da, orice găsești pe pământ,
răspunse Pippi.

Ceva mai departe, un bătrânel dormea
întins pe peluza din fața casei sale.

– Uite, *el* e pe pământ, zise Pippi, și noi
l-am găsit. O să-l luăm noi!

Tommy și Annika erau îngroziți:

– Nu, nu, Pippi! Nu putem să-l luăm pe domnul acesta! Nu se cade! strigă Tommy. Şi oricum, ce am face cu el?

– Ce-am face cu el? Putem să-l folosim într-o *sumedenie* de feluri. Putem să-l ţinem într-o cuşcă de iepuri în loc de iepure şi să-l hrănim cu frunze de păpădie. Dar, dacă voi nu vreţi, putem să-l lăsăm aici, în ce mă priveşte. Totuşi, nu mi-ar conveni ca un alt Descoperilă să treacă pe aici şi să-l ia cu el.

Merseră mai departe. Deodată însă, Pippi scoase un ţipăt ascuţit.

– Ei, nici nu mi-ar fi trecut prin cap! strigă ea, ridicând din iarbă o formă de prăjituri din tablă, ruginită toată. Ce descoperire! Ce descoperire! Niciodată nu ai de ajuns de multe forme de prăjituri.

Tommy cercetă obiectul mai degrabă suspicios şi întrebă:

– La ce poţi să o foloseşti?

– Poţi să o foloseşti într-o *sumedenie* de feluri, spuse Pippi. Ai putea să pui prăjiturile

în ea. Aşa ar deveni una dintre acele drăguţe
tăviţe cu prăjituri. Alt mod este să nu pui
prăjituri în ea. Atunci ar fi o tăviţă fără pră-
jituri, care nu e aşa de drăguţă, dar e bună
oricum.

Inspectă forma de tablă, care era de-a
dreptul mâncată de rugină şi care, pe deasu-
pra, mai era şi găurită.

– Cred că asta este o Tăviţă fără prăjituri,
zise ea gânditoare. Dar ai putea să ţi-o pui în
cap şi să te prefaci că este miezul nopţii!

Şi exact asta făcu. Cu forma de prăjituri în
cap, fetiţa se plimba prin cartier aidoma unui
mic turn de tablă şi nu se opri până nu căzu
pe burtă peste un gard de sârmă. Când forma
de metal se lovi de pământ, se auzi un
„bang!" teribil.

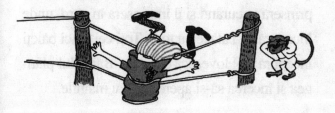

– Ei, vedeți! zise Pippi, scoțându-și tabla de pe cap. Dacă nu aveam asta pe cap, aș fi căzut direct în nas și m-aș fi amețit de-a binelea.

– Da, dar..., spuse Annika, dacă nu ai fi avut forma de prăjituri pe cap, ei bine, nu te-ai fi împiedicat de gard și...

Însă, înainte de a-și termina vorba, Pippi scoase un alt țipăt și ridică triumfătoare deasupra capului un mosor de ață... fără ață.

– Se pare că astăzi este ziua mea norocoasă! declară ea. Ce mosor minunat, taman bun să faci balonașe de săpun cu el sau să mi-l pun la gât pe o sfoară, în chip de colier! Vreau să merg acasă și să fac asta chiar acum.

Tocmai când spunea asta, se deschise poarta unei case din apropiere și pe ea năvăli un băiețel. Părea tare speriat, ceea ce nu era de mirare, căci îl urmăreau cinci băieți care-l prinseră în curând și îl împinseră în gard, unde începură să-l atace cu toții. Toți cei cinci băieți începură să-l lovească deodată. Băiețelul plângea și încerca să-și apere fața cu mâinile.

– Pe el, băieţi! ţipă cel mai mare şi mai puternic dintre ei. Ca să se înveţe minte, să nu-şi mai arate faţa pe strada asta!

– O! se sperie Annika. Îl bat pe Willie. Cum pot să fie atât de răi?

– E bestia de Bengt. Întotdeauna se ia la bătaie, explică Tommy. Şi sunt cinci contra unu! Ce laşi!

Pippi se duse direct la bătăuşi şi îl bătu pe umăr pe Bengt:

– Hei, tu, ăsta, i se adresă ea. Ai de gând să-l faci piure pe micul Willie pe loc, din moment ce aţi sărit cinci pe el deodată?

Bengt se întoarse în loc şi dădu cu ochii de o fetiţă pe care nu o mai văzuse niciodată până atunci, o fetiţă războinică, ciudată, care în-drăznise să-l împungă cu degetul! La început, pur şi simplu se zgâi la ea cu uimire, apoi, în-cetul cu încetul, un rânjet i se lăţi pe faţă.

– Hei, băieţi! strigă el spre ceilalţi. Ia lăsaţi-l pe Willie, şi uitaţi-vă la asta. Ce mai fată!

Se lovi cu palmele peste genunchi şi râse cât îl ţineau puterile. Într-o clipă, toată şleahta se adună grămadă în jurul lui Pippi. Toţi, mai puţin Willie, care îşi ştergea lacrimile şi care se duse lângă Tommy.

– Aţi văzut vreodată asemenea păr! E ca un foc de tabără! Şi ia te uită ce mai pantofi! continuă Bengt. Te rog frumos, aş putea să împrumut unul dintre ei? Aş vrea să mă duc la o plimbare pe lac, dar n-am barcă.

Apoi o apucă pe Pippi de una din codiţe, dar îi dădu drumul imediat, zicând:

– Au! M-am ars!

Cei cinci băieţi se adunaseră roată în jurul lui Pippi şi ţopăiau de pe un picior pe altul, strigând:

– Morcoveaţă! Morcoveaţă!

Pippi în schimb stătea în mijlocul grupului şi le zâmbea prietenos. Bengt sperase că fetiţa se va supăra pe ei sau, şi mai bine, va izbucni în plâns. Măcar dacă ar fi arătat niţel speriată. Văzând că nimic nu o stârneşte, o împinse.

– Sinceră să fiu, nu mi se pare că ai nişte maniere prea elegante când e vorba de doamne, spuse Pippi.

Apoi îl ridică în aer cu braţele ei puternice. Îl duse aşa până la un mesteacăn din apropiere şi îl agăţă într-o cracă. Apoi mai luă un băiat şi îl puse pe altă ramură, apoi un altul – pe care îl agăţă de stâlpul porţii casei, apoi *următorul* – pe care îl aruncă peste gard, lăsându-l să zacă într-un răsad de flori din grădina unei case vecine. Pe ultimul dintre bătăuşi îl puse într-un cărucior care se afla în stradă. Apoi Pippi, împreună cu Tommy, Annika şi Willie îi priviră pe cei cinci pentru un timp, aşa cum rămăseseră, muţi de uimire.

Pippi zise:

– Sunteţi cu toţii nişte laşi! Cinci ca voi după un băieţel! Asta e curată laşitate. Şi apoi vă luaţi şi de o fetiţă lipsită de apărare. O, ce ruşine! Sunteţi nişte răutăcioşi! Haideţi să mergem acasă, le spuse apoi lui Tommy şi Annikăi, iar lui Willie: Dacă mai încearcă

vreodată să te lovească, să vii să-mi spui
mie.

Iar lui Bengt, care era cocoţat în copac şi
care nu îndrăznea să mai facă vreo mişcare, îi
zise, în încheiere:

– Dacă mai ai ceva de zis despre părul sau
pantofii mei, cred că ai face bine să-mi spui
acum, înainte de a pleca acasă.

Dar Bengt nu avea nimic de zis despre
pantofii lui Pippi sau despre părul ei. Aşa
că Pippi plecă în drumul ei, cu forma de
prăjituri într-o mână şi cu mosorul în
cealaltă, urmată îndeaproape de Tommy şi
de Annika.

Odată întorşi în livada lui Pippi, fetiţa le
zise:

– Dragii de voi, ce păcat! Eu am găsit niş-
te chestii aşa de frumoase, iar voi nu aţi găsit
nimic încă. Trebuie să mai căutaţi. Tommy,
de ce nu te uiţi în scorbura de colo? Copacii
ăştia bătrâni sunt cele mai bune locuri pentru
un Descoperilă.

Tommy spuse că el nu prea crede că el şi Annika vor găsi vreodată ceva, dar, ca să-i facă pe plac lui Pippi, îşi vârî mâna în scorbura copacului.

– Bine dar..., zise el uimit, şi îşi trase mâna afară din scorbură.

Ţinea în mână un carnet foarte elegant, cu coperte de piele. Iar într-o parte carnetul avea un stilou de argint, într-un suport special.

– Hei, asta e chiar ciudat, spuse Tommy.

– Ei, vezi? zise Pippi. Nu e nimic mai frumos decât să fii Descoperilă. Mă mira la culme că nu sunt mai mulţi care intră în branşa asta. Tâmplar, pantofar sau coşar, da, asta s-ar face, dar găsitor-de-chestii, vezi tu, asta nu-i de nasul lor! Apoi îi zise Annikăi: De ce nu te uiţi după butucul ăla? Mai *mereu* găseşti tot felul de minunăţii ascunse pe-acolo.

Annika se duse repede şi căută unde îi spusese Pippi şi aproape imediat descoperi un colier de coral veritabil. Tommy şi Annika rămăseseră cu gura căscată, atât de surprinşi

erau. Se hotărâră că de acum înainte aveau să fie Descoperilă în *fiecare zi*.

Pippi își petrecuse jumătate din noapte jucându-se cu mingea, așa că deodată i se făcu somn:

– Cred că o să mă duc să trag un pui de somn, zise ea. Veniți să mă înveliți?

Când Pippi se așeză pe marginea patului, scoțându-și pantofii din picioare, îi privi gânditoare și le spuse:

– Auzi-l și pe Bengt ăsta, cică vrea să se plimbe pe lac, pufni ea disprețuitor. Îl învăț eu să se plimbe cu barca, îi arăt eu lui! Altă dată.

– Pippi, începu Tommy cu grijă, de ce ai niște pantofi așa de mari?

– Păi de ce altceva? Ca să am loc să-mi mişc degetele de la picioare! răspunse ea. Apoi se întinse în pat ca să doarmă. Întotdeauna dormea cu picioarele pe pernă şi cu capul sub plapumă. Aşa dorm cei din Guatemala, explică ea. Şi este singurul mod corect de-a dormi. Aşa pot să-mi mişc degetele de la picioare chiar şi când dorm.

– Voi puteţi să adormiţi fără un cântecel de leagăn? continuă ea. Eu trebuie întotdeauna să-mi cânt pentru un timp, altfel nu pot să pun geană pe geană.

Tommy şi Annika auziră un mormăit venind de sub plapumă. Era Pippi, care îşi cânta singură. Aşa că cei doi fraţi ieşiră din odaie în vârful picioarelor ca să nu o deranjeze. Ajunşi la uşă, se întoarseră ca să o mai privească o dată. Nu văzură însă decât picioarele lui Pippi ieşite de sub plapumă. Stătea întinsă în pat, dând energetic din degetele de la picioare.

Tommy şi Annika o luară spre casă. Annika ţinea strâns în mână colierul de coral.

— A fost tare ciudat, zise ea. Tommy, doar nu crezi... Doar nu crezi că Pippi ascunsese lucrurile acolo chiar ea?

— Nu ai cum să-ți dai seama, spuse Tommy. Nu poți să fii sigur de *nimic* când e vorba de Pippi.

Pippi se joacă leapşa cu poliţiştii

În curând, toţi locuitorii orăşelului aflară că o fetiţă de numai nouă ani locuieşte singură în Căsuţa Villekulla. Mamele şi taţii îşi clătinară capetele dintr-o parte în alta şi căzură cu toţii de acord că aşa ceva nu se cade. Era evident că toţi copiii au nevoie de cineva care să le spună ce trebuie să facă şi că toţi copiii trebuie să meargă la şcoală ca să înveţe tabla înmulţirii. Aşa că hotărâră că fetiţa din Căsuţa Villekulla trebuie să fie plasată într-o casă de copii, şi asta imediat.

Într-o frumoasă după-amiază, Pippi îi invitase pe Tommy şi pe Annika pe la ea, să-i

servească cu ceai și cu biscuiți. Fetița aran-
jase setul de ceai pe treptele de la intrarea în
căsuță. Era însorit și era foarte plăcut acolo,
iar florile din grădina lui Pippi miroseau
dulce. Domnul Nelson țopăia în sus și-n jos
pe balustrada verandei și, din când în când,
calul își întindea botul spre Pippi ca să
primească un biscuit.

– Ce frumos e să trăiești! zise Pippi, întin-
zându-și picioarele cât putea de mult.

Tocmai atunci intrară pe poartă doi poli-
țiști în uniformă.

– O! exclamă Pippi. Asta trebuie să fie ziua
mea norocoasă! Polițiștii sunt cel mai bun lu-
cru din lume. În afară de căpșunele cu frișcă.

Și se duse în întâmpinarea polițiștilor, cu
fața luminată de încântare.

– Tu ești fetița care s-a mutat în Căsuța
Villekulla? o întrebă unul dintre polițiști.

– Nu eu! îi răspunse Pippi. Eu sunt
mătușa ei cea tânără care locuiește la etajul
trei în celălalt capăt al orașului.

Spusese asta pentru că tare-ar mai fi vrut să se distreze puţin cu poliţiştii. Dar lor nu li se păru deloc amuzant. Aşa că îi spuseră să nu mai facă pe isteaţa. Apoi îi explicară că oamenii buni din orăşel aranjaseră ca ea să fie dusă într-o casă de copii.

– Dar deja sunt într-o casă de copii, zise ea răspicat.

– Cum aşa? Deja e aranjat totul? întrebă poliţistul. În care anume?

– În *asta,* zise Pippi cu mândrie. Sunt un copil, iar asta este casa mea. Nu prea văd oameni mari p-aici, aşa că eu cred, pe bună dreptate, că asta este o casă de copii.

– Dragă copilă, îi zise poliţistul râzând, nu înţelegi. Trebuie să fii într-o instituţie unde cineva poate avea grijă de tine.

– Ai voie să aduci cai în „stintituţia" asta? se întrebă Pippi.

– Nu, sigur că nu, răspunse poliţistul.

– Bănuiam eu, zise Pippi înnegurându-se. Ei bine, dar maimuţici?

– Sigur că nu! Am crezut că ştii măcar atât.

– Înţeleg, zise Pippi. Atunci nu aveţi de
ales, va trebui să vă găsiţi în altă parte copii
pentru „stintituţia" asta a voastră. Fin'că eu
una nu am de gând să mă mut acolo.

– Bine, dar nu înţelegi, trebuie să mergi la
şcoală, îi spuse poliţistul.

– De ce trebuie să fac asta?

– Păi, ca să înveţi lucruri, de ce altceva?

– Ce fel de lucruri? se interesă Pippi.

– O grămadă de lucruri, zise poliţistul.
O grămadă de lucruri folositoare. Tabla
înmulţirii, de exemplu.

– M-am descurcat destul de bine timp de
nouă ani şi fără tabla „înplutirii" asta, afirmă

Pippi. Aşa că cre' că m-oi descurca şi de acu' înainte.

– Ei, hai, hai! Închipuie-ţi cât de neplăcut va fi pentru tine să fii atât de ignorantă. Gândeşte-te numai, când o să creşti mare şi cineva o să vină la tine şi o să te întrebe care este capitala Portugaliei, iar tu nu o să poţi să răspunzi.

– Ba da, pot, zise Pippi. Le-aş spune: „Păi, dacă vreţi să ştiţi atât de mult care este capitala Portugaliei, ei bine, scrieţi direct în Portugalia şi întrebaţi-i pe ei".

– Da, dar nu crezi că ţi-ar părea rău că nu ştii?

– Poate, zise Pippi. Cre' că noaptea aş rămâne uneori trează, întrebându-mă: „Care naiba era capitala Portugaliei?" Dar, vedeţi, nu poţi să te distrezi tot timpul, zise Pippi făcând roata de câteva ori. Oricum, am fost la Lisabona cu tatăl meu, continuă ea cu capul în jos, apoi din nou în picioare, pentru că ea putea să vorbească şi aşa.

Dar apoi unul dintre poliţişti o sfătui să nu
creadă că putea să facă totul după placul ei.
Trebuia să meargă cu ei la casa de copii, şi
asta *imediat*. Se apropie de ea şi o prinse de
mână. Dar Pippi se desprinse din strânsoare,
îl lovi uşor, şi zise:

– Eşti!

Şi înainte ca omul să poată clipi, fetiţa se
cocoţă pe un stâlp al verandei. Din câteva
mişcări, trecu apoi în balconul de deasupra
verandei. Poliţiştii nu prea erau dispuşi să
urce după ea în felul acesta, aşa că se repeziră
în casă şi urcară pe scări până la primul etaj.
Dar când ieşiră pe balcon, Pippi era deja la
jumătatea drumului spre acoperiş. Se urca pe
ţiglele acoperişului ca o maimuţică. Într-o
clipită ajunsese pe creasta acoperişului şi de
acolo sări cu mare uşurinţă pe horn. Mai jos,
în balcon, cei doi poliţişti aproape că îşi
smulgeau părul din cap, iar şi mai jos, pe
peluză, Tommy şi Annika priveau în sus
toată scena.

– Ce amuzant este să te joci leapşa! strigă Pippi. Şi ce drăguţ din partea voastră să ve-niţi. E ziua mea norocoasă, e clar.

Poliţiştii cugetară un moment, apoi se du-seră şi luară o scară pe care o sprijiniră de casă pentru a ajunge pe acoperiş, apoi se urcară până sus, unul după altul, ca să o prindă pe Pippi. Dar când ajunseră pe acoperiş arătau cam speriaţi, înaintând spre Pippi şi încer-când să-şi menţină echilibrul în acelaşi timp.

– Nu vă fie teamă! ţipă Pippi. Nu e peri-culos, e doar amuzant!

Când poliţiştii ajunseră la doi paşi de Pippi, fetiţa sări jos de pe coş, râzând şi chiu-ind, alergă pe vârful acoperişului până în cea-laltă parte a casei. La vreo doi metri de casă se înălţa un copac.

– Priviţi-mă cum sar! strigă Pippi şi apoi sări direct în copac, se prinse bine de o ramură, se legănă câteva clipe, apoi se lăsă să cadă, pe pământ. După aceea alergă în partea cealaltă a casei şi luă scara din locul unde era sprijinită.

Poliţiştii arătaseră caraghios atunci când Pippi sărise de pe acoperiş, dar acum arătau încă şi mai caraghios, căci mergeau pe creasta acoperişului, încercând să ajungă la scară şi să-şi menţină şi echilibrul, în acelaşi timp. Şi când descoperiră că aceasta lipseşte, ei se supărară şi ţipară la Pippi, care îi privea de jos, că ar face mai bine să pună scara la loc, altfel îi arată ei vreo două.

– De ce sunteţi aşa de furioşi? le reproşă Pippi. Doar ne jucam leapşa, suntem prieteni!

Poliţiştii se gândiră o clipă, şi, în final, unul dintre ei spuse încet:

– Ăă, nu vrei să fii drăguţă şi să ne aduci scara înapoi ca să putem să ne dăm jos de aici?

– Sigur că da, zise Pippi şi le aduse imediat scara înapoi. Şi apoi luăm ceaiul, şi ne vom distra împreună!

Dar poliţiştii erau nişte făţarnici, mai mult ca sigur, pentru că de îndată ce ajunseră jos în siguranţă, începură să alerge după Pippi, strigând:

— Acum chiar ai încurcat-o, fetiţă rea ce eşti!

Dar Pippi le-o întoarse:

— Nu, acum nu mai timp să mă joc cu voi. Deşi e foarte amuzant, trebuie să recunosc.

Apoi îi apucă pe amândoi de centuri, şi aşa îi cără prin toată livada, scoţându-i pe poartă, în stradă. Aici îi lăsă jos, dar poliţiştilor le luă mult timp până să-şi revină şi să mai facă vreo mişcare.

— Staţi puţin, le strigă Pippi, şi fugi până în bucătărie. Ieşi de acolo cu doi biscuiţi în

formă de inimioară: Vreţi să gustaţi? îi îndem-
nă ea. Nu cre' că contează că sunt *puţin* arşi.

Apoi se întoarse înapoi la Annika şi la
Tommy, care rămăseseră locului plini de ui-
mire. Iar poliţiştii se grăbiră înapoi în orăşel
ca să le spună tuturor acelor mame şi taţi că
Pippi nu era tocmai potrivită pentru o casă de
copii. Nici nu pomeniră de păţania cu aco-
perişul. Toată lumea căzu de acord că poate
era mai bine s-o lase pe Pippi să stea în
Căsuţa Villekulla. Şi dacă s-ar fi întâmplat
ca fetiţa să vrea să meargă la şcoală până la
urmă, atunci să se ocupe şi singură de treaba
asta.

Dar Pippi, Tommy şi Annika petrecură o
după-amiază foarte plăcută împreună. Îşi
continuară ceaiul întrerupt într-un mod atât
de bizar. Pippi înfulecă paisprezece biscuiţi,
apoi zise:

– Aceia nu erau ceea ce eu aş numi *cei
mai buni* poliţişti. Nu! Prea sporovăiau de
case de copii şi de „înplutire" şi de Lisabona.

Mai târziu ridică pe sus calul şi toţi trei
încălecară. La început, Annikăi îi era teamă
şi nu voia în ruptul capului să se urce pe cal,
dar când văzu ce se mai distrau Tommy şi
Pippi, o lăsă pe Pippi să o ridice şi pe ea pe
cal. Acesta tropăia prin livadă dintr-o parte în
alta, iar Tommy cânta: „Uite cum vin sue-
dezii cu gălăgia!"

În seara aceea, când Tommy şi Annika se
duseră la culcare în pătuţurile lor, Tommy
zise:

– Annika, nu crezi că e minunat că Pippi
s-a mutat aici?

– Ba da, sigur că da, zise ea.

– Nici nu-mi aduc aminte de-a ce ne
jucam înainte ca ea să apară aici, tu?

– Păi, ne jucam crichet şi genul ăsta de
jocuri, zise Annika. Nu ştiu cum, dar e mult
mai distractiv cu Pippi, aşa cred eu. Şi cu cai
şi alte chestii d-astea!

Pippi începe şcoala

În mod firesc, Tommy şi Annika începură şcoala. În fiecare dimineaţă, la ora opt fix, copiii plecau spre şcoală ţinându-se de mână, cu cărţile sub braţ.

De obicei, la acea oră Pippi putea fi găsită călărindu-şi calul sau îmbrăcându-l pe Domnul Nelson în costumaşul lui. Sau îşi făcea gimnastica de dimineaţă, care consta în patruzeci şi trei de tumbe în aer, una după alta. După aceea, se aşeza pe masa din bucătărie şi se bucura în linişte de o ceaşcă de cafea şi de un sendviş cu brânză.

Tommy şi Annika priveau întotdeauna cu un picuţ de regret spre Căsuţa Villekulla când o porneau spre şcoală. Le-ar fi plăcut mult, mult mai mult să se joace cu Pippi. Dacă Pippi ar fi mers şi ea la şcoală, atunci poate că situaţia nu ar mai fi fost atât de rea.

– Gândeşte-te cât de mult ne-am distra venind spre casă, zise Tommy.

– Da, şi în drum spre şcoală, fu de acord Annika.

Cu cât se gândeau mai mult la asta, cu atât le părea şi mai rău că Pippi nu mergea şi ea la şcoală. În final, se deciseră să încerce să o convingă şi pe ea să meargă la şcoală.

– Nici nu poţi să-ţi *închipui* ce învăţător bun am eu, îi zise Tommy lui Pippi într-o după-amiază când el şi Annika veniseră în vizită la Căsuţa Villekulla după ce îşi terminaseră de făcut temele.

– Dacă ai şti ce distractiv e să fii la şcoală, zise, cu inocenţă, Annika. Aş înnebuni dacă nu aş putea să mai merg la şcoală!

Pippi era aşezată pe un taburet şi se spăla pe picioare într-o copăiţă. Nu zicea nimic, ci doar își mișca degetele de la picioare un pic, iar apa sărea în toate direcțiile.

– Nici nu trebuie să stai atât de mult timp, continuă Tommy. Numai până la două după-amiaza.

– Da, și avem vacanță de Crăciun și vacanță de Paști și vacanță de vară, zise Annika.

Gânditoare, Pippi își mușcă degetul mare de la picior, fără să zică nimic. Deodată, fără ezitare, răsturnă toată apa din copăiță pe podeaua din bucătărie, astfel că îl stropi pe pantaloni pe Domnul Nelson, care era așezat lângă ea și se juca cu o oglinjoară.

– Este nedrept! zise Pippi cu hotărâre, fără să ia în seamă supărarea Domnului Nelson în legătură cu pantalonii lui. Este absolut nedrept! Nu am să permit așa ceva!

– Ce nu ai să permiți? întrebă Tommy.

– Vine Crăciunul în patru luni, iar voi veți primi vacanța de Crăciun. Dar eu, eu ce o să primesc? Vocea lui Pippi era tristă. Nici un

fel de vacanţă de Crăciun, cât de mică, se
plânse ea. Trebuie să schimb lucrul acesta.
De mâine merg la şcoală!

Tommy şi Annika bătură din palme de
fericire.

– Uraa! Atunci o să te aşteptăm în faţa
porţii tale la ora opt fix!

– Nu, nu, zise Pippi. Nu pot să încep şcoa-
la aşa de devreme. Şi dacă mă gândesc bine,
cred că voi merge călare până la şcoală.

Şi exact aşa făcu. Fix la ora zece, a doua
zi dimineaţă, Pippi ridică de pe verandă
calul şi, un moment mai târziu, toţi locui-
torii orăşelului se repeziră la ferestre ca să
vadă ce cal a scăpat pe stradă. Mai bine zis,
calul care *credeau* ei că scăpase. Dar, de
fapt, el nu scăpase de niciunde. Pur şi sim-
plu, Pippi se cam grăbea să ajungă la şcoală.
Năvăli pe poarta şcolii într-un galop sălba-
tic, sări jos de pe cal din plină viteză, îl legă
cu o funie şi dechise uşa şcolii cu un bubuit
atât de mare, încât Tommy şi Annika,

împreună cu colegii lor de clasă, tresăriră în scaunele lor.

– Hei, uraa! strigă Pippi în gura mare şi flutură pălăria ei cea mare. Am ajuns la timp pentru „înplutire"?

Tommy şi Annika îi explicaseră dinainte învăţătoarei că va veni o fetiţă nouă, pe nume Pippi Şoseţica. Învăţătoarea auzise deja de Pippi de la locuitorii oraşului. Cum era o învăţătoare tare bună şi blândă, hotărâse să facă tot ce-i stătea în putinţă ca să o facă pe Pippi să se simtă la şcoală ca acasă.

Pippi se aruncă pe un scaun liber fără să fie rugată de nimeni. Dar învăţătoare nu luă în seamă comportamentul ei necivilizat. Pe un ton prietenos, îi spuse:

– Bine ai venit la şcoală, Pippi. Sper că vei fi foarte fericită aici şi sper că vei învăţa foarte multe lucruri noi.

– Sigur că da! Iar eu sper că voi primi vacanţa de Crăciun, zise Pippi. Fin'că de asta am venit aici. Dreptatea mai întâi de toate!

– Dacă vrei să-mi spui mai întâi numele tău, o rugă învățătoarea, te voi putea înscrie la școala noastră.

– Numele meu este Pippilotta Provisionia Gaberdina Dandeliona Fata-lui-Ephraim Șosețica, fata Căpitanului Ephraim Șosetelungi, spaima mărilor, acum Regele Canibalilor. Pippi este doar o poreclă, fin'că tata a crezut că Pippilotta este prea lung.

– Înțeleg, zise învățătoarea. Bine, atunci, și noi o să-ți spunem tot Pippi. Dar poate că acum ar trebui să vedem ce cunoștințe ai, continuă învățătoarea. Ești o fetiță mare acum, așa că, probabil, deja știi o groază de lucruri. Hai să începem cu aritmetica. Acum, Pippi, poți să-mi spui cât fac șapte plus cinci?

Pippi păru surprinsă și iritată. Apoi zise:

– Păi, dacă *tu* nu știi, să nu crezi că o să-ți spun eu!

Toată clasa rămase îngrozită, cu privirile ațintite asupra lui Pippi. Învățătoarea îi explică fetiței că nu așa se răspunde la școală.

Iar învăţătoarei nu avea voie să i se adreseze cu „tu", ci trebuia să-i spună „doamna învăţătoare" sau, simplu, „doamna".

– Îmi pare tare rău, îşi ceru Pippi scuze. Nu am ştiut asta. Nu se va mai repeta.

– Nu, sper că nu, zise învăţătoarea. Şi acum îţi voi spune că şapte plus cinci fac doisprezece.

– Vezi! exclamă Pippi. Tu ai ştiut tot timpul, aşa că de ce m-ai mai întrebat? O, ce toantă sunt! Tocmai v-am spus „tu" din nou. Mă iertaţi, zise ea, trăgându-se singură de ureche.

Învăţătoarea decise să se poarte de parcă nu s-ar fi întâmplat nimic.

– Acum, Pippi, cât crezi că fac opt plus patru?

– Cre'că în jur de şaizeci şi şapte? răspunse Pippi.

– Ba deloc, spuse învăţătoarea. Opt plus patru fac doisprezece.

– Ei, ei, asta e prea de tot, zise Pippi. Tocmai ai zis că şapte plus cinci fac doisprezece.

Trebuie să existe o *ordine*, chiar și într-o școa-
lă. Dacă îți plac prostiile astea așa de mult, de
ce nu te duci într-un colț să numeri, și să ne
lași în pace ca să putem juca leapșa? O, vai
de mine! Iar am zis „tu", realiză cu groază
Pippi. Mă puteți ierta și de data aceasta? Am
să mă căznesc să țin minte de acum încolo.

Învățătoarea o iertă. Dar se gândea că nu e
o idee așa de bună să încerce să o mai învețe
aritmetica pe Pippi. Începu să le pună între-
bări celorlalți elevi:

— Tommy, poți să-mi răspunzi la următoa-
rea întrebare, te rog? spuse ea. Dacă Lisa are
șapte mere și Axel are nouă mere, atunci câte
mere au împreună?

— Da, Tommy, ia răspunde la întrebarea
asta, intră Pippi în conversație. Și răspunde-mi
și mie la o întrebare: dacă pe Lisa o doare bur-
tica și pe Axel îl doare burtica și *mai tare*, a cui
e vina și de unde au furat merele?

Învățătoarea se prefăcu a nu auzi și se
întoarse spre Annika:

– Acum, Annika, problema aceasta este pentru tine: Gustav a mers, împreună cu prietenii lui, într-o excursie cu şcoala. Avea unsprezece bani când a plecat, dar s-a întors acasă cu numai şapte bani. Câţi bani a cheltuit?

– Păi, zise Pippi, ce aş vrea eu să ştiu este de ce a fost aşa de extravagant şi dacă a cumpărat cumva bere de ghimbir şi dacă şi-a curăţat urechile înainte de a pleca de acasă.

Învăţătoarea ajunse la concluzia că e mai bine să lase aritmetica în pace. Se gândi că poate Pippi ar fi mai interesată să înveţe să citească. Aşa că arătă clasei o poză cu o insulă plină de verdeaţă, foarte frumoasă, înconjurată de o mare albastră. Deasupra insulei era desenată litera „i".

– Acum, Pippi, îţi voi arăta ceva foarte interesant, zise ea repede. Aceasta este poza unei insule. Iar această literă pe care tu o vezi scrisă deasupra insulei este litera „i".

– Au, nici nu-mi vine să-mi cred urechilor, zise Pippi. Mie mi se pare că aduce mai mult

cu o liniuță cu un punct deasupra. Tare aș vrea
să știu ce au de-a face insulele cu punctele.

Învățătoare le mai arătă o poză, care înfă-
țișa un șarpe. Îi explică lui Pippi că litera de
deasupra șarpelui era litera „ș".

– Dacă tot veni vorba de șerpi, spuse
Pippi, nu cre' că voi uita vreodată cum m-am
luptat în India cu un șarpe uriaș. Era un șarpe
așa de urât, nici nu vă puteți *imagina;* avea
cinci metri lungime, era furios ca o albină și
în fiecare zi mânca cinci indieni și doi copii
ca desert. Într-o zi a venit la mine, căci voia
să mă mănânce pe *mine* ca desert și s-a înco-
lăcit în jurul meu – pârrr! – dar „am învățat și
eu vreo două pe mare" i-am zis eu și l-am
lovit direct în cap – bum! – și apoi a *sâsâit* la

mine – sssssssss! – şi eu l-am lovit încă o dată –
bum! şi... ei bine, a murit. Deci asta e litera
„ş"? Foarte interesant!

Pippi făcu o pauză ca să-şi tragă răsufla-
rea. Învăţătoarea, care începuse să creadă că
Pippi este un copil gălăgios şi neascultător, se
decise să lase clasa să deseneze pentru un
timp. „Mai mult ca sigur Pippi va sta
cuminte şi va desena laolaltă cu ceilalţi",
gândea învăţătoarea. Aşa că aduse hârtie şi
creioane şi le împărţi copiilor.

– Puteţi să desenaţi orice doriţi voi, le
spuse ea, apoi se aşeză la catedră şi se apucă
să corecteze lucrări.

După un timp, se uită prin clasă ca să
vadă ce făceau elevii. Toţi rămăseseră cu
ochii la Pippi care se întinsese pe podea şi
desena după pofta inimii.

– Dar, Pippi, îşi pierdu răbdarea învăţă-
toarea, de ce nu desenezi pe coala de hârtie?

– Am folosit-o pe toată de mult. Nu mai
am loc să desenez calul meu pe bucăţica aia

de hârtie, o lămuri Pippi. Tocmai acum îi desenez picioarele din față, dar când o să ajung la coadă, cre' că o să ies pe coridor.

Învățătoare cugetă profund preț de o clipă.

– Poate că ar fi mai bine să cântăm un cântecel? sugeră ea.

Toți copiii ieșiră din bănci și rămaseră în picioare lângă scaunele lor; toți, în afară de Pippi, care stătea în continuare așezată pe podeaua clasei.

– Haideți, cântați, îi îndemnă ea. Eu o să mă odihnesc nițel. Prea multă învățătură strică.

Răbdarea învățătoarei chiar că ajunsese la limită. Le spuse tuturor copiilor să iasă în curtea școlii să se joace, pentru că voia să vorbească cu Pippi în particular.

Odată rămase singure, Pippi se ridică de pe jos şi se apropie de catedră.

– Ştiţi, începu ea, adică vreau să spun, ştiţi, *doamnă,* a fost foarte amuzant să vin aici şi să văd cum e la şcoală. Dar nu cred că mai vreau să merg la şcoală, cu sau fără vacanţă de Crăciun. Pur şi simplu, sunt prea multe mere şi insule şi şerpi... M-am zăpăcit de tot. Sper că nu sunteţi dezamăgită de mine, *doamnă.*

Dar învăţătoarea îi spuse că este dezamăgită, cel mai mult pentru că Pippi nici măcar nu încearcă să se comporte cum trebuie, şi că nici o fetiţă care s-ar comporta aşa de urât cum s-a comportat Pippi nu ar avea voie să vină la şcoală chiar dacă ea şi-ar fi dorit foarte mult acest lucru.

– M-am comportat urât? întrebă Pippi, foarte surprinsă. Dar nu mi-am dat seama de acest lucru, zise ea cu tristeţe în glas. Nimeni nu arăta mai tragic decât Pippi când era tristă. Stătu aşa tăcută un timp, apoi zise cu vocea tremurată: Înţelegeţi, doamnă, că atunci când mama ta este un înger și tatăl tău este Regele Canibalilor și ai călătorit peste mări și țări toată viața ta, nu prea știi cum ar trebui să te porți într-o școală cu toate merele și șerpii ei.

Învățătoarea o asigură că înțelege foarte bine și că acum nu mai este dezamăgită de ea și că ar putea să se întoarcă la școală când va fi ceva mai mărișoară. Fetița zise, strălucind de bucurie:

— Cred că sunteți nemaipomenit de bună, doamnă. Și ia uitați ce am pentru dumneavoastră, doamnă!

Din buzunar, Pippi scoase un lănțișor de aur foarte fin, pe care îl puse pe catedră. Învățătoarea îi spuse că nu poate să accepte un dar atât de prețios din partea lui Pippi, dar fetița insistă:

— Dar *trebuie!* Altfel mă voi întoarce chiar mâine și o să vedeți ce spectacol o să iasă!

Apoi Pippi ieși grăbită în curtea școlii și sări direct pe cal. Toți copiii se adunară în jurul ei ca să mângâie calul și s-o privească plecând.

– Îmi pare bine că ştiu cum este în şcolile din Argentina, zise Pippi pe un ton superior, privind în jos spre ceilalţi copii. Ar trebui să mergeţi şi voi *acolo!* Vacanţa de Paşti începe la trei zile după ce se termină vacanţa de Crăciun şi când se termină vacanţa de Paşti, mai sunt doar trei zile până la vacanţa de vară. Vacanţa de vară se termină pe întâi noiembrie. Bineînţeles, aţi avea de furcă până pe unsprezece noiembrie. Dar nu e chiar aşa de rău, că nu se fac ore. În Argentina este strict interzis să faci ore. Se mai întâmplă uneori ca un copil argentinian să se ascundă într-un dulap şi să stea acolo ascuns, citind în secret, dar vai de pielea lui dacă îl descoperă maică-sa! Acolo nu au aritmetică deloc în şcoli, şi chiar dacă un copil ştie cât fac şapte plus cinci, e pus la colţ toată ziua dacă e aşa de prost şi-i spune învăţătoarei. Numai vinerea fac citire şi atunci numai în cazul în care se întâmplă să aibă vreo carte pe acolo. Dar asta nu se întâmplă niciodată.

– Bine, dar atunci ce fac la şcoală? întrebă un băieţel.

– Mănâncă dulciuri, răspunse Pippi fără să ezite. Au construit o ţeavă direct de la fabrica de dulciuri până în apropierea clasei. Şi din ea curg dulciuri toată ziua, aşa că elevii sunt ocupaţi toată ziua să le mănânce.

– Păi, şi învăţătoarea ce face? întrebă o fetiţă.

– Scoate bomboanele din ambalajele lor, ce altceva? răspunse Pippi, contrariată. Credeaţi că elevii fac asta singuri? Ba deloc! Nici măcar la şcoală nu se duc ei, îşi trimit fraţii.

Pippi îşi agită pălăria ei cea mare:

– Ia, ia! ţipă ea călare pe cal. Într-un minut o să dispar cu totul. Dar întotdeauna să ţineţi minte câte mere avea Axel, altfel ajungeţi rău, ha! ha! ha!

Cu râsul ei zgomotos, Pippi ieşi în goana calului pe poartă, cu asemenea viteză, că pietricele săreau din copitele calului şi ferestrele şcolii se zgâlţâiră în balamale.

Pippi stă pe poartă
şi se urcă într-un copac

Pippi, Tommy şi Annika stăteau chiar în faţa Căsuţei Villekulla. Pippi stătea pe un stâlp al porţii, Annika pe celălalt, iar Tommy era cocoţat chiar pe poartă. Era o zi caldă şi frumoasă, spre sfârşitul lui august. Un păr, care creştea lângă poartă, îşi întinsese ramurile atât de aproape de pământ, peste gard, încât, de unde stăteau, copiii puteau să culeagă fără nici un efort perele zemoase de august, galbene-roşii printre frunze. Muşcau şi mestecau, şi scuipau sâmburii de pară pe drumul din faţa casei.

Căsuţa Villekulla se găsea chiar la marginea orăşelului, acolo unde începeau câmpurile, unde strada se transforma într-un drum de ţară. Locuitorilor orăşelului le plăcea foarte tare să iasă la plimbare prin părţile acestea, pentru că aici găseai cele mai frumoase peisaje.

În timp ce copiii stăteau în faţa casei mâncând pere, o fetiţă apăru pe drum, venind dinspre orăşel. Când dădu cu ochii de copii, se opri şi îi întrebă:

– L-aţi văzut pe tata trecând pe aici?

– Nu ştiu, răspunse Pippi. Cum arăta? Avea ochi albaştri?

– Da, zise fetiţa.

– Purta o pălărie neagră şi era încălţat cu pantofi negri?

– Da, exact aşa, răspunse nerăbdătoare fetiţa.

– Nu, nu am văzut pe nimeni care să arate aşa, zise Pippi cu hotărâre.

Fetiţa era dezamăgită şi plecă fără să mai spună o vorbă.

– Hei! strigă Pippi în urma ei. E cumva chel?

– Nu, chiar nu este, răspunse fetița, supărată.

– Ăsta da noroc pe el! zise Pippi scuipând un sâmbure de pară.

Fetița se grăbi mai departe, dar Pippi strigă:

– Are urechi neobișnuit de lungi care-i ajung până pe umeri?

– Nu, zise fetița, apoi se întoarse pe călcâie, complet uimită. Doar nu vrei să spui că ai văzut un om cu urechi atât de mari mergând pe drum?

– Nu am văzut pe nimeni care să meargă cu urechile, răspunse Pippi. Toți pe care îi știu *eu* merg cu picioarele.

– Uf, ești așa de prostuță! Voiam să spun, chiar ai văzut un om cu urechi atât de mari?

– Nu, admise Pippi. Nu există *nimeni* cu urechi atât de mari. Ar fi chiar absurd. Cum ar arăta? Nimeni nu ar putea avea urechi atât de mari.

– Cel puțin, nu în *această* țară, adăugă ea după ce se mai gândi un pic. În China, lucrurile

stau puţin altfel. Odată am văzut un chinez în
Shanghai. Urechile lui erau *atât* de mari,
încât le putea folosi drept impermeabil. Când
ploua, chinezul se vâra tot sub urechile lui şi
îi era cum nu se poate mai bine şi mai cald.
Nu că urechilor le-ar fi fost prea uşor, mă
înţelegeţi. Dacă vremea era în mod *special*
rea, îşi invita şi prietenii şi cunoştinţele să
stea sub urechile lui. Şi stăteau cu toţii acolo,
cântând cântece triste în timp ce afară turna
cu găleata. Toată lumea îl respecta din pricina
urechilor sale. Hai Shang era numele lui. Ar
fi trebuit să-l vedeţi pe Hai Shang alergând
dimineaţa spre serviciu! Întotdeauna venea în
goană în ultimul moment pentru că îi plăcea
atât de mult să doarmă până târziu şi vă
închipuiţi cum arăta alergând, cu urechile ca
două vele galbene fluturând în urma lui.

Fetiţa se oprise din drumul ei şi rămăsese s-o
asculte cu gura căscată pe Pippi. Iar Tommy şi
Annika uitaseră cu totul să mai mănânce pere.
Erau destul de ocupaţi numai ascultând-o.

– Avea mai mulţi copii decât ştia să nume-
re, iar pe cel mai mic îl chema Peter, zise
Pippi.

– Bine, dar un copil chinez *nu poate* să
aibă un asemenea nume, protestă Tommy.

– Exact asta i-a spus şi nevasta lui. „Un co-
pil chinez *nu poate* să aibă numele de Peter",
chiar aşa i-a zis. Dar Hai Shang era ter'bil de
încăpăţânat şi a decis că băieţelul să fie numit
ori Peter, ori în nici un fel. Apoi s-a aşezat
îmbufnat într-un colţ şi şi-a tras urechile pes-
te cap. Aşa că soţia lui a trebuit să cedeze,
bineînţeles, şi băieţelul s-a chemat Peter.

– Zău? întrebă Annika.

– Era cel mai rău copil din tot Shanghaiul,
continuă Pippi. Era aşa de pretenţios când era
vorba de mâncare, încât mama lui era tare
nefericită. Probabil ştiţi că în China se mă-
nâncă cuiburi de păsări? Ei bine, mama lui se
ruga de el cu o farfurie plină cu cuiburi de pă-
sări în mâini. „Micuţul meu Peter, îi zicea ea,
hai să înghiţim o guriţă şi pentru tati." Dar

Peter strângea din buze şi scutura din cap.
Până la urmă, Hai Shang s-a supărat atât de
tare, încât a zis că nimeni nu va mai găti în
casa aceea pentru Peter până când micuţul nu
va mânca cuibul acela de dragul lui tati. Şi
când Hai Shang zicea ceva, apoi *aşa* era.
Acelaşi cuib a fost plimbat din bucătărie în
cămară, din mai până în octombrie. Pe pais-
prezece iulie, mama a întrebat dacă poate să-i
dea băiatului o plăcintă cu carne, dar Hai
Shang era hotărât: nu.

— Prostii, zise fetiţa din drum.

— Exact asta a spus şi Hai Shang, continuă
Pippi. „Prostii! zicea el. Nu văd de ce un copil
nu ar putea să mănânce un cuib de pasăre,
dacă nu ar mai fi aşa de răzgâiat." Dar Peter
ţinu gura închisă din mai şi până în octombrie.

— Da, bine, dar cum trăia atunci? zise
Tommy cu uimire.

— Păi, nu putea să trăiască, zise Pippi.
A murit. De răzgâială. Pe optsprezece octom-
brie. Iar pe douăzeci, o rândunică a intrat pe

fereastră şi a ouat un ou în cuibul de pasăre
care rămăsese pe masă. Aşa că nu s-a irosit. Nu
s-a întâmplat nimic rău! zise Pippi, voioasă.
Apoi se uită gânditoare la fetiţa care rămăsese
mască în mijlocul drumului: Ce ciudat arăţi,
observă Pippi. De ce aşa, deodată? Doar nu
crezi că stau aici şi-ţi torn gogoşi? Zi dacă e aşa,
ameninţă Pippi, şi-şi suflecă mânecile.

– Nu, nu, nu, deloc! se apără alarmată
fetiţa. N-aş spune că torni gogoşi, dar...

– Nu, nu, nu, deloc! zise Pippi. Dar exact
asta *fac*. Îţi torn braşoave de mi se înnegreşte
limba, nu-ţi dai seama de asta? Chiar crezi că
un copil poate să trăiască fără mâncare din
mai până în octombrie? Sigur, ştiu mult prea
bine că se pot descurca fără mâncare trei-patru
luni, dar din mai până în octombrie! Asta-i prea
de tot! Cu siguranţă ar trebui să *ştii* că asta nu
este adevărat. N-ar trebui să-i laşi pe oameni
să te facă să crezi tot ce le trece lor prin cap.

La auzul acestor cuvinte, fetiţă plecă în
treaba ei şi nici măcar nu mai întoarse capul.

– Cât de simpli sunt oamenii, le zise Pippi lui Tommy şi Annikăi. Din mai până în octombrie! Păi, asta e de-a dreptul gogonată! Apoi strigă după fetiţă: Na, n-am văzut nici un chelios pe-aici toată ziua. Dar ieri au trecut vreo şap'şpe. Braţ la braţ!

Livada lui Pippi era de-a dreptul minunată. Nu era ea chiar aşa bine îngrijită, asta în mod sigur, dar erau peluze mici de iarbă, care nu erau niciodată tunse, şi tufe de trandafiri albi, galbeni şi roz. Nu erau nişte trandafiri deosebiţi, poate, dar miroseau dulce, parfumat. Erau şi pomi cu fructe şi poate cei mai frumoşi erau stejarii, nişte stejari bătrâni-bătrâni şi ulmii, care erau numai buni de căţărat.

În livada lui Tommy şi a Annikăi, copacii în care te puteai căţăra lipseau cu desăvârşire, căci mamei lor îi era teamă ca nu cumva copiii să se urce în copaci, să cadă şi să se rănească. Din acest motiv, cei doi nu prea erau pricepuţi la căţărare. Dar acum Pippi le zise:

– Ce ziceţi, dacă ne-am urca în stejarul ăla de colo?

Tommy sări imediat de pe poartă, absolut încântat de sugestie. Annika era puţin mai neîncrezătoare, dar, când văzu că stejarul e plin de noduri pe care te puteai căţăra uşor, i se păru o activitate foarte distractivă.

La câţiva metri înălţime de la pământ, trunchiul stejarului se despica în două ramuri groase, iar în locul unde cele două porneau în direcţii diferite era un lăcaş ca o cămăruţă. Nu trecu mult timp şi copiii erau acolo. Deasupra capetelor lor, stejarul îşi desfăcea coroana de frunze ca un tavan verde, imens.

– Am putea să servim ceaiul aici, veni Pippi cu ideea. Mă duc până în casă şi îl fac imediat.

Tommy şi Annika bătură din palme şi strigară amândoi:

– Uraaa!

Nu peste mult timp, Pippi se întoarse cu ceaiul. Cu o zi înainte făcuse chifle. Stătea la baza stejarului şi arunca în sus ceşti de ceai, pe care le prindeau Tommy şi Annika. Din când în când, le prindea chiar *stejarul,* aşa că două ceşti se sparseră. Dar Pippi alergă în casă şi aduse ceşti noi. După aceea, veni rândul chiflelor şi, pentru câtva timp, un nor de chifle se rostogoli prin aer. Cel puţin, ele nu se spărgeau. În sfârşit, urcă şi Pippi cu ceainicul pe cap. Avea o sticlă de lapte în buzunar şi o cutie de zahăr în alt buzunar.

Tommy şi Annika era încântaţi; li se părea că ceaiul nu avusese niciodată un gust mai bun. Nu aveau voie să bea ceai în fiecare zi, ci doar când erau în vizită. Şi acum, oricum, erau în vizită. Annika îşi vărsă puţin ceai în poală; la început, fu cald şi ud, apoi rece şi ud, dar nu mai conta, se gândi Annika.

Când terminară ceaiul, Pippi aruncă ceştile în iarbă:

– Vreau să văd cât rezistă porţelanul făcut în ziua de astăzi, explică ea. O ceaşcă şi trei farfurioare se ţinură bine, oricât de ciudat ar părea. Cât despre ceainic, numai gâtul i se rupse.

Din senin, Pippi se gândi să urce și mai sus:

– Ei, chiar că așa ceva n-am mai văzut, strigă ea de sus. Copacul ăsta este gol pe dinăuntru!

Chiar în trunchiul copacului era o scorbură mare, pe care frunzele o feriseră de ochii copiilor.

– Pot să urc și eu să văd? întrebă Tommy. Dar nu veni nici un răspuns. Pippi, unde ești? o strigă el, puțin cam neliniștit.

Apoi auziră vocea lui Pippi, dar nu de undeva de deasupra, ci de undeva de dedesubt. Părea că vine din străfundurile pământului.

– Sunt înăuntrul stejarului. E gol până la pământ. Dacă mă uit printr-o crăpătură mică pot să văd ceainicul afară, pe iarbă.

– Dar cum o să ieși afară de acolo? strigă Annika.

– Nu mai pot să ies, zise Pippi. Va trebui să stau aici până ies la pensie. Iar voi va trebui să-mi aruncați mâncare prin scorbura de sus. De cinci-șase ori pe zi.

Annika începu să plângă.

– Dar de ce să ne îngrijorăm, de ce să ne plângem? zise Pippi. Veniţi şi voi doi aici. Putem să ne jucăm de-a deţinuţii din închisoarea unui castel.

– Nici prin gând nu-mi trece! zise Annika. Şi pentru mai multă siguranţă, coborî din copac de-a binelea.

– Annika, te văd prin crăpătură, strigă Pippi. Vezi să nu calci pe ceainic! E un ceainic vechi şi foarte bun, care nu a făcut nimănui nici un rău. Şi nu e vina *lui* că nu mai are gât.

Annika se apropie de copac şi printr-o crăpătură mică văzu vârful arătătorului lui Pippi. Asta o mai linişti, dar încă era îngrijorată:

– Pippi, sigur nu poţi să urci? întrebă ea.

Degetul lui Pippi dispăru şi, într-o clipită, faţa îi apăru în scorbura din copac.

– Probabil că pot dacă încerc de-adevăratelea, zise ea, împingând cu mâinile frunzele care îi stăteau în cale.

– E chiar aşa de uşor să urci înapoi? se interesă Tommy, care încă mai era în copac.

Păi, atunci vreau şi eu să cobor în scorbură şi să mă joc.

– Bine, răspunse Pippi, dar mai întâi cred că voi aduce scara.

Ieşi cu greu din scorbură şi se lăsă uşor spre pământ. Apoi alergă să aducă scara, se luptă cu ea sus, în copac, apoi o împinse în trunchiul gol al stejarului.

Tommy era foarte entuziasmat şi abia aştepta să coboare în copac. Era destul de greu să intri în scorbură, pentru că era înaltă, dar Tommy era curajos. Nu îi era frică să coboare în întunericul dinăuntrul trunchiului. Annika îl privi cum dispare şi se întrebă dacă îl va mai vedea vreodată. Încercă să se uite prin crăpătura din trunchi.

– Annika, auzi ea vocea lui Tommy, nici nu poţi să-ţi dai seama cât de frumos este aici! Trebuie să vii şi tu. Nu este deloc periculos atunci când ai o scară pe care să urci înapoi. Dacă vii, ai să vezi că nu o să mai vrei să faci nimic altceva.

– Eşti *sigur?* întrebă Annika.

– Absolut sigur, zise Tommy.

Aşa că Annika se urcă din nou în copac; picioarele îi tremurau în ultimul hal, dar Pippi o ajută când ajunse sus de tot. Fetiţa se sperie când văzu cât de întuneric era înăuntrul copacului. Dar Pippi o ţinu de mână şi o încurajă.

– Nu-ţi fie teamă, Annika, îl auzi pe Tommy vorbind dinăuntru. Pot să-ţi văd picioarele şi am să te prind dacă s-ar întâmpla să cazi.

Dar Annika nu căzu, ci ajunse jos, la Tommy, fără nici o problemă. Şi imediat după ea veni şi Pippi.

– Nu-i aşa că-i nemaipomenit? exclamă Tommy.

Annika fu nevoită să recunoască: era nemaipomenit, într-adevăr. Nu era aşa de întuneric pe cât îşi imaginase, pentru că lumina pătrundea prin crăpătura din trunchi. Annika se dusese direct la crăpătură, pentru că voia să vadă şi ea ceainicul, afară, în iarbă.

– Aici putem să ne facem ascunzătoare, zise Tommy. Nimeni nu ar putea să ne găsească aici. Şi dacă totuşi vin după noi să ne caute, îi putem spiona prin crăpătură. Şi ce-o să mai râdem!

– Am putea să luăm un băţ şi să-i împungem cu băţul prin crăpătură, zise Pippi. O să creadă că suntem stafii.

La gândul acesta, copiii deveniră atât de fericiţi, încât, deodată, se îmbrăţişară. Apoi auziră gongul care se auzea de fiecare dată înainte de cină acasă la Tommy şi Annika.

– Ce nasol, zise Tommy trist. Trebuie să mergem acasă. Dar o să ne întoarcem mâine, imediat ce terminăm orele la şcoală.

– Sigur că da, spuse Pippi.

Aşa că urcară scara, mai întâi Pippi, iar Annika şi Tommy la urmă. Apoi coborâră din copac, mai întâi Pippi, iar Annika şi Tommy la urmă.

Pippi organizează un picnic

– Astăzi nu trebuie să mergem la școală, îi spuse Tommy lui Pippi, e închis pentru curățenie.

– Ha! strigă Pippi. Iarăși și iarăși nedreptate! Eu nu am niciodată vacanță, deși pe-aici e nevoie de puțină curățenie. Uită-te numai la podeaua din bucătărie! Dar dacă mă gândesc mai bine, adăugă ea, pot să fac curățenie și *fără* să plec în vacanță. Tocmai asta voiam să fac acum, cu sau fără vacanță. Mi-ar plăcea să-l văd pe cel care ar încerca să mă oprească! Dacă stai pe masă, nu-mi vei sta în cale.

Tommy și Annika se urcară ascultători pe masa din bucătărie, iar Domnul Nelson

sări şi el pe masă şi se culcă în poala
Annikăi.

Pippi încălzi o oală mare de apă pe care,
mai apoi, o aruncă fără prea multe griji di-
rect pe podeaua bucătăriei. Apoi îşi scoase
pantofii cei uriaşi şi îi alinie ordonat pe
planşeta de făcut cocă. Îşi legă două perii de
frecat de tălpile goale şi începu să patineze
pe podea.

– Ar fi trebuit să devin regina patina-
toarelor, zise ea, ridicând un picioar în aer; cu
peria din piciorul stâng lovi lampa din tavan.

– În orice caz, sunt înzestrată cu multă
graţie şi şarm, continuă ea, sărind agilă peste
un scaun care îi stătea în cale. Ei, cred că
acum este curat, spuse într-un sfârşit, scoţân-
du-şi periile din picioare.

– Nu ai de gând să *usuci* podeaua? întrebă
Annika mirată.

– Nu, o las să se „evaporpeze", zise Pippi
serioasă. Nu cre' că o să răcească atâta timp
cât se mişcă.

Tommy şi Annika se dădură jos de pe masă şi păşiră pe podea cu mare atenţie să nu cumva să se stropească.

Afară, soarele strălucea pe cerul albastru şi limpede. Era una dintre zilele acelea aurite de septembrie, când e minunat să faci o plimbare prin pădure. Lui Pippi îi veni o idee.

– Ce-aţi zice dacă l-am luat pe Domnul Nelson cu noi la un picnic?

– A, *da!* strigară cu bucurie cei doi fraţi.

– Păi, ce mai aşteptaţi? Fugiţi până acasă şi cereţi-i voie mamei voastre, zise Pippi. Între timp, eu voi pregăti mâncarea pentru picnic.

Lui Tommy şi Annikăi li se păru un plan minunat. Se grăbiră spre casă şi se întoarseră repede-repede. Pippi era deja în faţa porţii cu Domnul Nelson pe umăr, cu un băţ în mână şi un coş imens în cealaltă.

La început, copiii urmară drumul de ţară, apoi cotiră pe o cărare lină care şerpuia printr-un lan, printre mesteceni şi aluni. Tot mergând ei aşa, ajunseră la o poartă, dincolo

de care era un câmp şi mai frumos. Dar chiar
în faţa porţii stătea o vacă şi, după cât se
părea, nu avea nici cea mai mică intenţie să
se mişte de acolo vreodată. Annika ţipă la ea,
iar Tommy merse până sub nasul ei, ca un
băieţel curajos ce era, încercând să o goneas-
că, dar vaca nu se mişcă nici măcar un mili-
metru, ci doar se uita la copii cu ochii ei
mari, blajini. Ca să pună capăt întregii aven-
turi, Pippi lăsă coşul jos, se duse aproape de
vacă, o ridică şi o dădu la o parte. Bietul ani-
mal se îndepărtă împleticindu-se printre
copaci, încet şi precaut, într-o confuzie totală.

– Ei, cine şi-ar fi închipuit că o vacă ar pu-
tea fi la fel de încăpăţânată ca un catâr! râse
Pippi, sărind peste poartă. Şi care-i rezulta-
tul? Catârii devin încăpăţânaţi ca nişte vaci,
bineînţeles! E dezgustător să te gândeşti la
asta măcar.

– Ce câmp minunat! ţipă de încântare
Annika, cocoţându-se pe toate pietrele ce-i
răsăreau în cale. Tommy îşi luase cu el cuţitul,

cel pe care îl primise cadou de la Pippi, aşa
că se ocupă să taie beţe pentru el şi Annika,
pe post de toiegele. Se tăie puţin la deget, dar
asta nu mai conta.

— Poate ar trebui să culegem nişte ciu-
perci, zise Pippi, rupând o ciupercuţă roşie,
evident otrăvitoare. Mă întreb dacă e bună de
mâncat, continuă ea. Oricum, nu e bună
de *băut,* atâta lucru ştiu şi eu, aşa că nu am de
unde alege, o s-o mănânc. Poate că e bună,
până la urmă!

Muşcă o bucată mare din ciupercuţă şi o
înghiţi.

— Chiar e bună! declară ea, încântată.
Altădată să culegem mai multe şi să facem o
mâncare din ele, zise ea, aruncând ciupercuţa
cea roşie undeva printre copaci.

— Pippi, ce ai în coşul acela? o întrebă
Annika. Ceva bun?

— Nu ţi-aş spune nici dacă mi-ai dat tot cea-
iul din China, zise Pippi. Mai întâi, trebuie să
găsim un loc bun unde putem să aranjăm totul.

Copiii începură să caute cu înfrigurare un loc bun pentru picnic. Annika găsi un bolovan mare şi turtit care i se păru exact ceea ce le trebuia, dar era plin de furnici roşii care mărşăluiau care încotro, şi Pippi zise:

— Nu vreau să stau cu ele fin'că nu le cunosc.

— Da, şi *muşcă*, o avertiză Tommy.

— Muşcă? se minună Pippi. Păi atunci, muşcă-le şi tu!

Apoi Tommy descoperi o poieniţă între doi aluni; se deciseră să poposească acolo.

— Nu este destul de însorit aici pentru pistruii mei, declară Pippi. Şi îmi place să am pistrui.

Ceva mai departe se înălţa un deal domol, uşor de urcat. În vârful dealului era un platou însorit, ca un balcon. Aici se aşezară.

— Acum, închideţi ochii până aranjez eu totul, zise Pippi. Tommy şi Annika închiseră ochii cât de tare puteau ei, ascultând-o pe Pippi cum deschide coşul de mâncare şi cum foșnește ambalajele de hârtie. Unu, doi, nouășpe, acum puteți să vă uitați! zise Pippi într-un final. Așa că se uitară. Dând cu ochii de bunătățile pe care Pippi le așezase cu grijă pe piatră, copiii țipară de bucurie. Erau niște minunate sendvișuri cu șuncă, un teanc de clătite pudrate cu zahăr, cârnăciori suculenți și trei budinci de ananas. Pentru că, vedeți voi, Pippi învățase o grămadă de lucruri de la bucătarul de pe vasul tatălui ei.

– Ooo, ce bine este să fii în vacanță! zise Tommy cu gura plină de clătite. Ar trebui să avem vacanță tot timpul!

– Acum, uite cum e, zise Pippi. Nu-mi place chiar așa de tare să fac curat. E distractiv, sigur că da, dar nu în *fiecare* zi.

Copiii mâncară atât de mult, încât de-abia se mai puteau mișca, așa că doar stăteau pe iarbă, la soare, bucurându-se de vacanță.

– Mă întreb dacă o fi greu să zbori, zise Pippi privind visătoare peste marginea „balconului" de piatră. De la marginea aceea

dealul cobora abrupt; erau destul de sus dea-
supra pământului. Cred că este uşor dacă
zbori în jos, poţi să înveţi repede, continuă
ea. Probabil că e *mult* mai greu să zbori în
sus. Dar pot să încep cu ce-i mai uşor. Cred
că o să încerc chiar acum!

– Nu, Pippi! strigară Tommy şi Annika.
O, draga noastră Pippi, nu face asta, te rugăm!

Dar Pippi deja stătea pe marginea pietrei:

– Zbori, zburătoare zburătăcită, zbori! Şi
zburătoarea zburătăcită zbură, îngână ea, şi
tocmai când zise „zbură", ridică braţele în aer
şi păşi în gol.

După o clipă, se auzi un zgomot înfundat.
Pippi căzuse pe pământ. Tommy şi Annika
se lăsară pe burtă la marginea pietrei şi
priviră cu frică în jos. Pippi se ridică în
picioare şi îşi scutură ţărâna de pe genunchi:

– Am uitat să dau din mâini, zise ea foarte
firesc. Şi aveam prea multe clătite în mine.

Exact în acel moment, copiii îşi dădură
seama că Domnul Nelson dispăruse. Era clar

că plecase într-o excursie pe cont propriu, cine ştie pe unde. Căzură cu toţii de acord că ultima dată când îl văzuseră era foarte preocupat să molfăie coşul de mâncare, dar în timpul exerciţiului de zbor al lui Pippi uitaseră cu totul de el. Şi acum dipăruse.

Pippi se înfurie atât de tare, încât îşi aruncă un pantof în baltă:

– Niciodată să nu iei maimuţici cu tine când pleci undeva, decretă ea. Trebuia să-l fi lăsat acasă, să aibă grijă de cal. Poate aşa se învăţa minte, continuă ea, mergând spre baltă pentru a-şi recupera pantoful. Apa îi ajungea până la brâu. Să nu uit să-mi ud şi părul, zise Pippi şi se lăsă în jos până intră cu capul sub apă, bolborosind. E mult mai bine! De data aceasta, nu va mai trebui să mă duc la frizer, zise ea cu satisfacţie când ieşi afară din apă.

Apoi ieşi din baltă, îşi puse din nou pantoful, şi plecară cu toţii în căutarea Domnului Nelson.

– Ia ascultaţi cum fac când merg, râse Pippi. Hainele mele murate fac pleosc! pleosc!, iar pantofii plici! plici! E tare caraghios! Ar trebui să încercaţi şi voi, îi zise ea Annikăi.

Aceasta, fetiţă cuminte, mergea frumos, cu părul ei blond, mătăsos, cu rochiţa ei roz şi cu pantofiorii ei de piele albă.

– Altă dată, îi răspunde înţeleapta Annika.

Merseră mai departe.

– Domnul Nelson mă supără rău de tot, zise Pippi. Aşa face tot timpul. Odată, în Sourabaya, a fugit şi s-a angajat valet la o văduvă în vârstă. Asta bineînţeles că e o minciună, doar nu m-aţi crezut, adăugă ea după o pauză.

Tommy propuse să se despartă şi să caute fiecare în altă direcţie. La început, Annikăi îi fu cam frică şi nu voia să procedeze aşa, dar Tommy o provocă:

– Doar nu ţi-e *frică?*

Bineînţeles, Annika nu putea să-l lase pe fratele ei câştige. Aşa că cei trei copii o luară în direcţii diferite.

Tommy traversă o pajişte. Nu îl găsi pe Domnul Nelson, în schimb găsi cu totul altceva. Un taur! Mai degrabă, taurul îl găsi pe Tommy, iar taurului nu-i plăcu de Tommy *deloc*, pentru că era un taur supărat, căruia nu-i plăceau deloc copiii. Cu un muget înfiorător şi cu capul aplecat înainte se repezi spre Tommy, iar băiețelul, de spaimă, scoase un urlet care putu fi auzit în toată pădurea. Pippi şi Annika auziră țipătul şi veniră în fugă să vadă ce s-a întâmplat cu Tommy. Taurul deja îl luase pe Tommy în coarne; îl aruncă în sus.

– Ce taur nepoliticos! îi zise Pippi Annikăi, care plângea, speriată rău. Nu ai voie să te porți aşa. Păi, nu vezi, îi murdăreşte costumul alb de marinar al lui Tommy. Am să mă duc să-l lămuresc eu cum stă treaba.

Şi aşa şi făcu. Alergă spre taur şi îl trase de coadă:

– Iartă-mă că te deranjez, zise şi, cum îl trăgea cam tare de coadă, taurul se întoarse

spre ea; văzu o copiliţă şi se gândi că şi ea ar
fi numai bună de împuns cu coarnele. Aşa
cum am mai zis, iartă-mă că te întrerup,
adăugă Pippi. Oh, şi scuză-mă că-ţi rup ăsta,
zise ea rupându-i taurului un corn. Nu mai e
la modă să porţi două coarne anul ăsta, adău-
gă ea. Anul acesta, taurii mai răsăriţi nu au
decât unul. Dacă îl mai au şi pe-ăsta, mai zise
ea şi i-l rupse şi pe celălalt.

Cum taurii nu simt nimic cu coarnele,
nici taurul nostru nu şi-a dat seama că îi
lipsesc. Tot mai încerca să o lovească şi,
dacă nu ar fi fost vorba de Pippi, copilul care
s-ar fi găsit în faţa taurului ar fi fost făcut de
mult piftie.

– Ha! ha! ha! nu mă mai gâdila, ţipă
Pippi. Nu-ţi dai seama ce gâdilicioasă sunt!
Ha! ha! Opreşte-te, opreşte-te, o să mor de
râs!

Dar taurul nu se opri şi, până la urmă, Pippi
îi sări în spate ca să se liniştească. Dar acesta
nu era un loc prea liniştit, pentru că taurului

nu-i plăcea să o aibă pe Pippi în spate. Săracul de el, se învârti și se răsuci în toate felurile ca să scape de fetiță, dar ea se ținea bine. Taurul fugea ca un apucat dintr-o parte în alta a pajiștii și mugea așa de tare, încât îi ieșeau aburi pe nări. În schimb, Pippi râdea și țipa și le făcea semn cu mâna lui Tommy și Annikăi. Cei doi stăteau la o distanță respectabilă, tremurând ca varga. Taurul se răsuci pe călcâie încercând să scape de Pippi.

– Ia uitați-vă cum dansez eu cu noul meu prieten! cântă Pippi, ținându-se bine pe spinarea taurului.

Într-un târziu, taurul obosi atât de tare, încât se lăsă pe pământ, se întinse cât era de lung, dorindu-și să nu mai existe copii pe lume. Fiindcă, de fapt, el nu înțelesese niciodată de ce era nevoie și de copii.

– Te-ai gândit să-ți faci siesta? îl întrebă Pippi, politicoasă. Atunci nu te mai deranjez.

Sări jos de pe spinarea taurului și se îndreptă spre Tommy și spre Annika. Tommy chiar plânsese puţin. Se lovise la un braţ, dar Annika îl pansase cu batista ei, aşa că nu îl mai durea.

– O, *Pippi!* ţipă Annika, agitată.

– Şşşt! îi şopti Pippi. Să nu trezeşti taurul! A adormit şi, dacă îl trezim, o să fie tare supărat.

Dar, o clipă mai târziu, uită cu totul de taurul adormit şi ţipă cu vocea ei piţigăiată:

– Domnule Nelson! Domnule Nelson! Unde eşti? Trebuie să mergem acasă!

Domnul Nelson era ghemuit într-un pin. Îşi rodea codiţa de supărare; era tare nefericit. Pentru o maimuţică atât de mică nu era prea distractiv să umble singură prin pădure. Cum îi văzu pe copii, Domnul Nelson sări jos din copac, se sui direct pe umărul lui Pippi şi începu să îşi agite pălărioara lui de pai, semn că era nemaipomenit de fericit.

– Aşadar, de data aceasta nu te-ai angajat valet, zise Pippi, mângâindu-l pe spate. Ha! ha! Asta e o adevărată minciună gogonată!

adăugă ea. Dar, dacă e adevărată, cum să fie şi gogonată? Poate că atunci când toate se vor lămuri, vom afla că Domnul Nelson chiar a fost valet în Sourabaya! Ei bine, dacă aşa stau lucrurile, atunci ştiu cine o să ne servească masa de acum înainte!

O luară încet spre casă, Pippi cu hainele încă ude pe ea şi cu pantofii care musteau de apă. Tommy şi Annika se gândeau amândoi că petrecuseră o zi minunată, mă rog, în afară de taur, şi cântară un cântecel pe care îl învăţaseră la şcoală. Era un cântec de vară şi, deşi acum era aproape toamnă, ei îl cântară oricum:

Când zilele de vară sunt calde şi line
Zburdăm voioşi pe dealuri şi coline.
Fie drumul cât de greu,
Noi vom cânta: hai-ho! hai-ho! mereu
Hai, copii, fiţi mai vioi,
Veniţi să cântaţi cu noi!
Văzduhul de cântec acum va vui,
Iar corul nostru vesel nicicând nu s-o opri!

Şi-apoi vom merge cu spor
Tot mai sus, sus, pe pripor!
Când zilele de vară sunt calde şi line
Cântăm cu voioşie pe dealuri şi coline!

Pippi cânta şi ea, dar nu nimerea chiar aceleaşi cuvinte. Ea cânta cam aşa:

Când zilele de vară sunt calde şi line
Zburd cu voioşie pe dealuri şi coline.
Voi face tot ce doresc
Şi apa va picura, plici, plici, pleosc!
La mine-n pantofi,
C-aşa eu voi!
Şi-oi lipăi apoi ca o răţuşcă
Fin'că pantofii mei au tras o duşcă!
Ho, ha, ce taur haios acum apare!
Şi mie-mi place să îi cam rup din coarne!
Căci zilele verii sunt calde şi line
Iar apa din haine tot picură bine!

Pippi se duce la circ

Într-o bună zi, în orăşel poposi un circ şi toţi copiii alergară la părinţii lor ca să-i roage să îi lase şi pe ei să meargă. Tommy şi Annika făcură şi ei la fel, iar tatăl lor, care era foarte bun şi blând, le dădu câteva monede, argintii, strălucitoare.

Cu banii ţinuţi strâns în mână, cei doi fraţi alergară imediat la Pippi. Fetiţa era pe verandă, împletindu-i calului coada în mai multe codiţe mici, fiecare legată cu o fundiţă roşie.

– Astăzi este ziua lui... Aşa cred, cel puţin, zise ea, prin urmare ar trebui să fie gătit.

– Pippi, spuse Tommy răsuflând din greu pentru că alergase aşa de repede, Pippi, ai vrea să mergi cu noi la circ?

– Pot să fac orice-mi place, zise Pippi, dar nu ştiu dacă pot veni cu voi la circ, pentru că nu ştiu ce este un circ. Te doare?

– Ce prostuţă eşti! spuse Tommy. Bineîn-ţeles că nu doare! E doar distractiv! Cai şi clovni, şi doamne foarte frumoase care merg pe sârmă!

– Dar costă bani, interveni Annika, deschi-zându-şi mânuţa pentru a verifica dacă cele trei monede argintii mai erau încă acolo.

– Sunt putred de bogată, zise Pippi, cred că aş putea să cumpăr un circ întreg dacă aş vrea. Dar o să fie cam aglomerat dacă mai iau şi alţi cai. Clovnii şi doamnele cele fru-moase aş putea să-i înghesui în uscătorie, dar caii sunt o problemă.

– Ce aiureală! zise Tommy. N-o să *cumperi* un circ întreg. Trebuie să plăteşti nişte bani numai ca să te duci şi să priveşti, înţelegi?

– Vai de mine! ţipă Pippi, închizând strâns ochii. Costă bani doar ca să *priveşti?* Şi eu care am umblat tot timpul cu ochii deschişi! Cine ştie câţi bani am cheltuit deja!

Încetul cu încetul, Pippi deschise un ochi şi îl roti în toate direcţiile.

– Oricât m-ar costa, zise ea, trebuie să trag cu ochiul un pic!

Tommy şi Annika reuşiră, în cele din urmă, să îi explice lui Pippi ce este un circ, apoi Pippi se duse să ia nişte monede de aur din valiza ei. După ce îşi luă banii, îşi puse pălăria pe cap, o pălărie mare ca o roată de car, şi porniră tustrei spre circ.

În jurul cortului de circ era o mulţime de oameni care aşteptau să intre, iar în faţa casei de bilete se întindea o coadă lungă. Când îi veni rândul lui Pippi, îşi vârî capul prin ferestruica ghişeului, o privi intens pe doamna în vârstă care vindea bilete şi i se adresă cam aşa:

– Cât mă costă ca să te privesc pe *dumneata?*

Doamna cea în vârstă însă era din altă ţară, aşa că nu înţelese ce voia Pippi să spună şi îi răspunse politicos:

– Fetiţa mica, costa ţinţi coroane pe rindurile din faţa si drei coroane pe rindurile din spate si o coroana in piţioare.

– Înţeleg, zise Pippi, dar trebuie să-mi promiteţi că mergeţi pe sârmă.

Tommy întrerupse această conversaţie şi o lămuri pe vârstnica doamnă că Pippi ar dori un bilet pentru rândurile din spate. Pippi îi dădu o monedă de aur doamnei de la bilete, care o privi suspicios. O şi muşcă, să se convingă că este veritabilă. În cele din urmă, se convinse că, într-adevăr, era de aur, iar Pippi îşi primi biletul. Plus un pumn de monede de argint ca rest.

– Ce să fac cu banii ăştia albi, urâţi? zise Pippi nemulţumită. Păstraţi-i. Şi, în schimb, am să vă privesc de două ori. Din piţioare.

Aşa că, deoarece Pippi era hotărâtă să nu-şi ia restul, doamna îi schimbă biletul cu unul în primul rând, şi le dădu locuri vecine şi lui Tommy şi Annikăi, fără ca ei să fie nevoiţi să plătească diferenţa. În felul acesta, Pippi, Tommy şi Annika se aşezară pe scaune chiar lângă manej. Tommy şi Annika se întoarseră spre fundul sălii de mai multe ori, ca să le facă semn cu mâna colegilor lor care aveau locuri acolo.

– *Asta* chiar că este o colibă ciudată, observă Pippi, uitându-se în jurul ei plină de mirare. Dar văd că au vărsat rumeguş pe podea. Nu că aş fi pretenţioasă, dar e cam dezordonat.

Tommy fu nevoit să îi explice lui Pippi că în manejul de la circ era întotdeauna rumeguş, pentru cai.

Pe o scenă stăteau muzicanţii circului şi, brusc, ei se apucară să cânte un marş agitat. Pippi bătu din palme frenetic şi sări în sus şi în jos pe scaunul ei, foarte încântată.

– Costă ceva ca să asculţi sau asta poţi să o faci gratis? se întrebă ea.

Tocmai atunci se trase deoparte cortina, lăsând să se vadă intrarea artiştilor, şi dresorul, îmbrăcat în negru, cu o biciuşcă în mână, ieşi în arenă alergând, iar după el intrară în goană zece cai albi ca laptele, cu pene roşii pe cap.

Dresorul plesni din biciuşcă, iar caii începură să alerge în jurul arenei. Apoi mai plesni o dată din biciuşcă şi caii se urcară cu picioarele din faţă pe bara care încercuia arena. Unul dintre cai se opri chiar în faţa celor trei copii. Annika nu se simţea prea în largul ei stând atât de aproape de cal, aşa că se afundă în scaun cât putu ea de mult. În schimb, Pippi se apropie de cal mai tare, îi ridică un picior, să dea noroc cu el şi îl întrebă foarte natural:

– Ce mai faci? Calul meu îţi transmite salutări. Astăzi este şi ziua lui, numai că el are funde în coadă, nu pe cap.

Spre marele lui noroc, Pippi i-a dat drumul înainte ca dresorul să plesnească din nou din biciușcă și toți caii să sară jos de pe marginea manejului și să alerge din nou în cerc.

Când se încheie numărul, dresorul se înclină cu eleganță, iar caii ieșiră în trap din arenă. O clipă mai târziu, cortina se trase din nou și intră un cal negru-cărbune, iar în șa, pe spinarea lui, era o doamnă foarte frumoasă, îmbrăcată într-un costum verde de mătase, strâns pe corp. Numele ei era Miss Carmencita, așa scria în program.

Calul tropăia cu copitele prin rumeguș, iar Miss Carmencita călărea calmă și zâmbea publicului. Dar, brusc, se întâmplă ceva. Tocmai când calul trecu pe lângă locul unde era așezată Pippi, ceva zbură șuierând prin aer. Era chiar Pippi. Într-o clipă, fetița era pe cal, în spatele Carmencitei. La început, Miss Carmencita fu atât de uluită, încât aproape căzu de pe cal. Apoi își reveni din uimire și se înfurie. Începu să lovească cu mâinile în spatele ei ca să o convingă pe Pippi să sară jos de pe cal. Dar nu reușea.

– Liniştește-te, zise Pippi. Nu ești singura care vrea să se distreze. Sunt alţii care au plătit și *ei*, fie că-ţi vine să crezi sau nu!

Apoi Miss Carmencita se gândi să sară jos, dar nici asta nu reuși să facă, pentru că Pippi o ţinea bine de talie. Publicul nu mai putea de râs. Era atât de comică, li se părea lor, Miss Carmencita cea frumoasă, ţinută în șa de o gâgâlice de fetiţă cu părul roșu care stătea în spinarea calului, cu pantofii ei imenși cu tot, arătând de parcă toată viaţa ei dăduse reprezentaţii la circ.

Dar dresorul nu râdea deloc. Le făcu semn asistenților săi, îmbrăcați în roșu, să alerge după cal și să îl prindă.

– Deja s-a terminat numărul ăsta? zise Pippi, dezamăgită. Tocmai când ne distram mai bine!

– Copil rău, sâsâi printre dinți dresorul, pleacă de aici!

Pippi îl privi cu tristețe:

– Bine, zise ea, dar de ce sunteți așa de supărat pe mine? Credeam că toată lumea se distrează aici.

Sări de pe cal și se așeză la locul ei în public. Dar acum doi asistenți veniră spre ea ca să o dea afară din sală. O prinseră fiecare de câte o mână și încercară să o ia pe sus.

Nu aveau nici o șansă. Pippi stătea nemișcată pe loc și oamenilor le era imposibil să o ridice, deși trăgeau de ea din răsputeri.

Între timp, începu următorul număr. Era Miss Elvira, care făcea echilibristică pe sârmă. Purta o rochiță de voal roz și ținea în mână o

umbreluţă de soare asortată. Miss Elvira aler-
ga pe sârmă cu paşi mici şi calculaţi. Făcu tot
felul de giumbuşlucuri. Era foarte interesant să
o priveşti. Demonstră publicului că putea
să meargă pe sârmă şi cu spatele. Dar, când se
reîntoarse pe micuţa platformă de la capătul
sârmei şi se răsuci cu faţa din nou spre firul
întins, Pippi era deja acolo.

– Ce aţi spus? zise Pippi, încântată să
vadă expresia surprinsă întipărită pe faţa
Elvirei.

Dar Miss Elvira nu zisese nimic, ci sări
jos de pe platformă şi se aruncă în braţele
dresorului, care era tatăl ei. Şi iarăşi acesta îşi
trimise asistenţii să o dea afară pe Pippi. De
data aceasta însă trimise cinci. Dar toţi
oamenii din arenă începură să strige:

– Lăsaţi-o în pace! Vrem s-o vedem pe
fetiţa roşcovană!

Şi bătură din palme, bătură chiar şi cu
picioarele în podea.

Pippi păși repede pe sârmă. Iar giumbuș-lucurile Elvirei nici nu se comparau cu echi-libristica lui Pippi. Ajunsă în mijlocul firului întins, fetița ridică un picior în aer, iar pantoful ei cél mare se lăbărță ca un acoperiș dea-supra ei. Își agită puțin piciorul, schimonosin-du-se haios, ca să se scarpine cu el după ureche.

Dresorul însă nu era deloc mulțumit pen-tru că Pippi se amestecase în spectacolul său. Voia să scape de ea cu orice preț. Așa că se tupilă până la mecanismul care ținea firul întins și îl slăbi. Era sigur că Pippi va cădea.

Dar fetița nu căzu. În schimb, începu să se legene pe sârmă. Sârma se legăna dintr-o parte în alta, Pippi se legăna din ce în ce mai repede și apoi, brusc, făcu un salt în aer și ateriză chiar în cârca dresorului. Acesta se sperie atât de tare, încât o rupse la fugă.

– Căluțul acesta este mult mai distractiv, zise Pippi. Dar de ce nu ai ciucuri în coamă?

Apoi Pippi se hotărî că este mai bine să se întoarcă la Tommy și Annika. Coborî de pe umerii dresorului şi se aşeză la locul ei în public, aşteptând să înceapă următorul număr. Urmă o mică pauză, căci dresorul fu nevoit să se ducă puţin în culise, să bea un pahar de apă, să-şi revină şi să se pieptene. Dar când reveni, se înclină spre public şi zise:

– Doamnelor si domnilor! In urmatorul număr veţi vedea una dintre ţele mai mari minuni din toate timpurile: ţel mai puternic om din lume, Marele Adolf, pe care nimeni nu l-a batut pina acum. Si iata-l, doamnelor si domnilor. Marele Adolf!

Un bărbat de-a dreptul uriaş păşi în manej. Era îmbrăcat cu colanţi purpurii şi avea o piele de leopard înfăşurată în jurul taliei. Făcu o plecăciune către audienţă; părea foarte sigur pe sine, foarte mulţumit de el însuşi.

– Numai *uitaţi-va* la muschii aţestia! îl prezentă dresorul, strângându-l de braţ pe Marele Adolf, ai cărui muşchi arătau ca nişte şerpi uriaşi, pe sub piele. Si acum, doamnelor, domnişoarelor şi domnilor, va fac o mare

oferta! Care dintre dumneavoastra indraz-
neste sa inţerţe sa il bata pe ţel mai puternic
om din lume? Platesc o suta de coroane ţelui
care il poate bate pe Marele Adolf. O suta de
coroane, consideraţi oferta, doamnelor si
domnilor! 'Aideţi, indrazniţi! Ţine va inţerca?

Nimeni nu se încumetă.

– Ce a zis, ce a zis? întrebă Pippi. Şi de ce
vorbeşte în arabă?!

– A zis că cel care va putea să-l bată pe
omul acela mare de-acolo va primi o sută de
coroane, îi explică Tommy.

– Eu pot să-l bat, zise Pippi, cu convin-
gere. Dar cred că ar fi păcat să-l bat, fin'că
pare să fie un om de treabă.

– Dar n-ai putea *niciodată* să-l baţi! se
băgă în vorbă şi Annika. Păi, e cel mai pu-
ternic bărbat din lume!

– Cel mai puternic bărbat, da, se încăpă-
ţână Pippi, dar eu sunt cea mai puternică
fetiţă din lume, nu uita!

Între timp, Marele Adolf ridica tot felul de greutăţi şi îndoia ţevi groase de fier ca să demonstreze cât de puternic este.

– Oameni buni! strigă dresorul. Chiar nu se gaseste printre dumneavoastra ţineva care ar vrea sa câstidze o suta de coroane? Chiar trebuie sa le pastrez pentru mine? zise el, fluturând o bancnotă de o sută de coroane.

– Nu cred ca trebuie „sa le pastraţi", zise Pippi, trecând peste bara de pe marginea manejului şi intrând în arenă.

– Pleacă! Dispari! Nu vreau sa te vad in fata ochilor, sâsâi el printre dinţi.

– De ce sunteţi întotdeauna atât de neprietenos? îl admonestă Pippi pe un ton de reproş. Vreau doar să mă lupt cu Marele Adolf.

– Aţesta nu este timpul pentru glume, zise maestrul de ceremonii. Pleacă, inainte ca Marele Adolf sa auda impertinendza ta!

Dar Pippi trecu pe lângă el, spre Marele Adolf. Îi prinse mâna uriaşă în mânuţa ei şi i-o scutură din toată inima.

– Acum, ce-aţi zice de o trântă mică între noi doi? zise ea.

Marele Adolf o privi, neînţelegând nimic.

– O să încep într-o clipă, îl avertiză Pippi.

Şi aşa şi făcu. Se înfruntă cu Marele Adolf ca o adevărată luptătoare şi, înainte ca cineva să-şi dea seama cum de s-a întâmplat o asemenea minunăţie, fetiţa îl lăsă lat la pământ. Marele Adolf se ridică cu greu, roşu la faţă din cauza efortului.

– Ura pentru Pippi! strigară Tommy şi Annika.

Toţi oamenii care veniseră la spectacol îi auziră, aşa că li se alăturară:

– Ura pentru Pippi!

Dresorul se aşezase pe bara de pe marginea manejului şi îşi freca mâinile de enervare. Era foarte furios. Dar Marele Adolf era şi mai furios. Niciodată în viaţa lui nu i se mai întâmplase ceva atât de îngrozitor. Dar acum avea el să-i arate roşcovanei ăsteia ce fel de om era Marele Adolf! Se repezi spre ea şi o prinse ca într-un cleşte, dar Pippi se ţinea tare ca piatra:

– Sunt convinsă că poţi mai mult de atât, îl încurajă ea.

Apoi se desprinse din strânsoare ca o zvârlugă şi, o clipă mai târziu, Marele Adolf era din nou lat pe podea. Pippi era în picioare lângă el şi îl aştepta. Nu fu nevoită să aştepte mult timp. Cu un urlet înfricoşător, Marele Adolf se ridică de pe jos şi se năpusti din nou asupra ei.

– Tidlipum şi podlidai, zise Pippi.

Toţi oamenii din cort băteau din picioare şi îşi aruncau pălăriile şi şepcile în aer, strigând:

– Ura pentru Pippi!

A treia oară când Marele Adolf se repezi spre ea, Pippi îl ridică în aer și îl ținu așa, plimbându-se în jurul manejului. Apoi îl puse jos, pe podea, și îl țintui acolo.

– Ei, domnul meu, cred că ne-am jucat destul, zise ea. Oricum, mai distractiv de atât nu are cum să fie.

– Pippi a învins! Pippi a învins! strigară toți oamenii din sală. Marele Adolf fugi în culise cu mare viteză, iar dresorul fu silit să îi înmâneze lui Pippi bancnota de o sută de coroane, deși părea că, mai degrabă, ar fi mâncat-o de vie pe fetiță.

– Poftim, tinara domnişoara, iata ţele o suta de coroane!

– Asta? se strâmbă Pippi cu dispreţ. Ce aş putea eu să fac cu bucata asta de hârtie? Poţi să o păstrezi, să împachetezi peşte în ea! Apoi se reîntoarse la locul ei: Ăsta este un circ care durează prea mult, le zise ea prietenilor ei, Tommy şi Annika. Dacă trag un pui de somn nimeni n-o să observe. Dar să mă treziţi dacă mai apare ceva unde pot să-i ajut.

Aşa că se lăsă moale pe spătarul scaunului ei şi căzu imediat într-un somn adânc. Şi aşa rămase până la sfârşitul spectacolului, sforăind în timp ce clovnii şi înghiţitorii de săbii, şi dresorii cu şerpi încolăciţi pe grumaz îşi făcură fiecare numărul său pentru Tommy şi Annika, şi pentru toţi ceilalţi oameni care veniseră la circ.

– Cred că Pippi a fost cea mai bună dintre toţi, îi şopti Tommy Annikăi.

Pippi este vizitată de hoți

După spectacolul pe care l-a dat Pippi la circ, nu mai era om în micuțul orășel care să nu fi auzit cât de înfricoșător de puternică era fetița. Ba chiar apăruseră articole în ziar despre ea. Dar oamenii care locuiau în altă parte firește că nu știau cine este Șosețica noastră.

Într-o noapte întunecoasă de toamnă, doi vagabonzi apărură târșâindu-și picioarele pe strada care trecea prin fața Căsuței Villekulla. Erau doi borfași de cea mai joasă speță, răi și îngălați, care o porniseră prin împrejurimi, puși pe furat. Când văzură lumina aprinsă în

Căsuţa Villekulla, se hotărâră să intre şi să ceară ceva de mâncare, un sendviş, poate.

Tocmai în seara aceea, Pippi îşi pusese toate monedele de aur pe podeaua din bucătărie şi stătea acolo, numărându-le. Nu prea era ea bună la numărat, dar făcea asta din când în când. Aşa, ca să fie totul în ordine.

– ... Şaptezeci şi cinci, şaptezeci şi şase, şaptezeci şi şapte, şaptezeci şi opt, şaptezeci şi nouă, şaptezeci şi zece, şaptezeci şi unsprezece, şaptezeci şi doisprezece, şaptezeci şi şaptesprezece, pfuaaa! Cred că mai sunt şi alte numere. A, sigur, acum îmi aduc aminte! O sută patru, o mie. O adevărată binecuvântarea! Chiar că sunt o grămadă de bani! îşi zise Pippi.

Chiar în acel moment, se auzi o bătaie în uşă.

– Intră sau rămâi unde eşti, cum vrei, ţipă Pippi. Nu eu hotărăsc!

Uşa se deschise şi cei doi vagabonzi intrară în casă. Vă daţi seama că ochii lor se

măriră ca niște farfurioare de dulceață când văzură în mijlocul bucătăriei o fetiță roșcovană, numărând grămezi de bani, singurăsingurică.

– Ești acasă de una singură? întrebară cei doi cu viclenie.

– Sigur că nu, le răspunse Pippi. Domnul Nelson este și el acasă.

Acum, cei doi hoți nu aveau de unde să știe că Domnul Nelson nu era decât o maimuțică, una care, la acea oră târzie din noapte, dormea liniștită în pătuțul ei verde,

învelită cu plăpumioara păpuşii. Borfaşii cre-
zură că el este stăpânul casei, pe nume Dom-
nul Nelson; îşi făcură unul altuia cu ochiul,
complice.

„Putem să venim ceva mai târziu", însem-
na gestul acesta, dar lui Pippi îi ziseră:

– Ei, bine, doar am venit să vedem cât
este ceasul.

– Ei, asta-i bună! Oameni în toată firea
care nu ştiu cât este ceasul! pufni Pippi. Păi,
uite-l pe perete, atât este! Acum bănuiesc că
veţi vrea să ştiţi şi ce face. Ei bine, merge şi
merge, dar niciodată nu reuşeşte să iasă pe
uşă afară. Dacă mai ştiţi şi alte ghicitori ca
asta, hai să le-auzim, îi încurajă ea.

Vagabonzii se gândiră că Pippi e cam
micuţă ca să ştie cum e cu ceasul, aşa că se
răsucirā pe călcâie şi ieşirā afară pe uşă fără
să mai scoată vreo vorbă.

– Fir-ar să fie! Ai văzut ce de bănet? zise
unul dintre ei.

– Ce noroc pe capul nostru, răspunse celă-
lalt. Trebuie doar să aşteptăm până când
fetiţa şi Nelson ăsta vor adormi. Apoi putem
să intrăm pe ascuns şi să punem mâna pe toţi
banii.

Se aşezară să aştepte sub un stejar din
livadă. Cădea o burniţă rece, iar lor le era tare
foame. Era o situaţie foarte neplăcută, dar
gândul la bănet le menţinea buna dispoziţie.

Luminile se stinseră una câte una în toate
celelalte case, dar în Căsuţa Villekulla încă
mai era lumină. Şi aceasta se întâmpla pentru
că Pippi era ocupată să înveţe să danseze
polca, şi nu avea de gând să se ducă la cul-
care înainte de a fi sigură că ştie paşii. Totuşi,
până la urmă, şi ferestrele Căsuţei Villekulla
se întunecară.

Cei doi vagabonzi aşteptară un timp ca să
se convingă că şi Domnul Nelson a adormit. În
cele din urmă, se strecurară până la uşa din
spate a casei şi se pregătiră să o deschidă cu
ajutorul uneltelor lor de spărgători. Unul dintre

ei (apropo, numele lui era Boboc) însă în-
cercă mânerul uşii, aşa, într-o doară. Uşa nu
era încuiată.

– Cred că sunt nebuni de-a binelea! îi
şopti el camaradului său. Uşa e larg deschisă!

– Cu atât mai bine pentru noi, îi răspunse
acesta, un tip cu părul ca pana corbului,
Tunet Karlson pentru cei care îl cunoşteau.

Tunet Karlson îşi aprinse lanterna şi
amândoi se strecurară împreună în bucătărie.
Nu era nici ţipenie de om. În camera de ală-
turi era patul unde dormea Pippi şi tot acolo
se găsea şi pătuţul de păpuşă al Domnului
Nelson.

Tunet Karlson deschise uşa cu mare grijă
şi aruncă o privire înăuntru. În cameră dom-
nea liniştea şi pacea somnului; borfaşul
plimbă conul de lumină al lanternei prin
încăpere. Când lumina căzu pe patul lui
Pippi, amândoi vagabonzii descoperiră cu
stupoare că pe pernă se odihnea o pereche de
picioare. Ca de obicei, Pippi era cu capul sub

pături, la celălalt capăt al patului, unde, în mod normal, ar fi trebuit să stea picioarele.

— Ea trebuie să fie fetiţa, îi şopti Tunet Karlson lui Boboc. E clar că e adormită. Dar unde crezi că ar putea fi Nelson?

— Domnul Nelson, dacă nu te superi, se auzi vocea calmă a lui Pippi de sub toate păturile în care era învelită. Domnul Nelson doarme în pătuţul lui cel verde.

Cei doi hoţi fură într-atât de alarmaţi, încât erau cât pe ce să o rupă la goană. Dar apoi se gândiră mai bine la ce le spusese Pippi.

„Domnul Nelson doarme în pătuţul lui cel verde!" În lumina lanternei văzură pătuţul de păpuşi şi maimuţica dormind sub plăpumioară. Tunet Karlson nu se putu abţine să nu râdă.

– Boboc, zise el, Domnul Nelson este o maimuţică, ha! ha! ha!

– Păi, ce credeai că e? se auzi din nou vocea de sub pături. O maşină de tuns iarba?

– Dar părinţii tăi nu sunt acasă? întrebă Boboc.

– Nu, răspunse Pippi. Au plecat. Au plecat de-a binelea!

Tunet Karlson şi Boboc chicotiră de bucurie:

– Ei bine, tânără domnişoară, zise Tunet Karlson, ia ieşi niţel afară, am vrea să stăm puţin de vorbă cu tine.

– Nu, sunt adormită, zise Pippi. Iar e ceva cu ceasurile alea? Fin'că în cazul acesta, îţi dai seama ce fel de ceas...

Înainte de a putea termina propoziţia, Boboc trase cuverturile de pe ea.

– Poți să dansezi polca? îl întrebă Pippi, privindu-l serioasă drept în ochi. *Eu* pot!

– Pui atât de multe întrebări, zise Tunet Karlson. Putem să-ți punem și noi ție câteva? De exemplu: unde ții banii pe care îi numărai pe podea mai devreme?

– În valiza de-acolo, de pe dulap, răspunse Pippi cu sinceritate.

Tunet Karlson și Boboc rânjiră satisfăcuți:

– Sper că nu te superi dacă îi luăm noi, nu-i așa, micuțo? zise Tunet Karlson.

– Deloc, zise Pippi. *Bineînțeles* că nu!

Auzind acestea, Tunet se duse spre dulap și luă valiza de acolo.

– Sper că nu te superi dacă îi iau eu, nu-i așa, micuțule? zise Pippi, sculându-se din patul ei și îndreptându-se spre Boboc.

Boboc nu-și dădu seama cum decurseră lucrurile, dar, deodată, valiza era în mâinile lui Pippi.

– Nu e de joacă, zise Tunet Karlson supărat. Dă-ne valiza aia!

O apucă pe Pippi de braţ şi încercă să îi smulgă din mână valiza mult dorită.

– Dar *eu* nu mă jucam, zise Pippi, ridicându-l în aer pe Tunet Karlson şi punându-l pe dulap. O clipă mai târziu i se alătură şi Boboc. Atunci vagabonzii fură cuprinşi de spaimă. Începură să înţeleagă că Pippi nu era tocmai o fetiţă ca oricare alta. Dar voiau să pună mâna pe valiză atât de mult, încât lăsară la o parte orice urmă de frică.

– Amândoi deodată, Boboc! strigă Tunet Karlson şi amândoi săriră de pe dulap, aruncându-se asupra fetiţei, care încă mai ţinea valiza în mână.

Dar Pippi îi împunse cu degetul arătător, trimiţându-i pe fiecare în câte un colţ al încăperii. Înainte să apuce ei să se ridice de unde fuseseră aruncaţi, Pippi scoase la iveală o frânghie şi îi legă fedeleş cât ai zice peşte. Acum cei doi hoţi schimbară placa:

– Drăguţă, bună domnişoară, se ruga Tunet Karlson, iartă-ne, glumeam numai! Nu ne face rău, suntem doar doi cerşetori fără o leţcaie care au venit la tine după puţină mâncare.

Boboc chiar lăcrimă uşor.

Pippi puse valiza la locul ei, pe dulap. Apoi se întoarse spre captivii ei:

– Ştie vreunul din voi să danseze polca?

– Păi, hmmm, asta este... zise Tunet Karlson. Îmi place să cred că ştim câte ceva.

– Ce bine! zise Pippi, bătând din palme. Am putea să încercăm? De-abia am învăţat şi eu paşii.

– Da, sigur că da!

Tunet Karlson fu imediat de acord, deşi era puţin cam mirat.

Pippi scoase la iveală un foarfece şi le tăie frânghiile cu care erau legaţi.

– O, dar nu avem muzică, zise Pippi tristă. Dar imediat îi veni o idee: N-ai putea tu să cânţi la pieptene, iar eu să dansez cu el? i se adresă ea lui Boboc, arătând spre Tunet Karlson.

Ei, cum să nu! Sigur că Boboc va cânta la pieptene. Şi aşa şi făcu, de vuia toată casa. Domnul Nelson fu trezit brusc din somnul său cel dulce, se ridică în capul oaselor la ţanc pentru a o vedea pe Pippi învârtindu-se cu Tunet Karlson prin cameră. Fetiţa era foarte serioasă şi dansa cu o asemenea energie, de parcă întreaga ei viaţă depindea de lucrul acesta.

La sfârşit, Boboc nu mai vru să cânte din pieptene pentru că, zicea el, îl gâdila teribil.

Iar Tunet Karlson, care se târâse toată ziua pe drum, începu să se plângă de picioarele-i obosite.

– Încă puțin, se rugă Pippi de ei, continuînd să danseze. Lui Boboc și lui Tunet Karlson nu le mai rămase nimic de făcut în afară de a o ține tot așa mai departe.

Când se făcu trei dimineața, Pippi zise deodată:

– O, aș putea să dansez așa până joi! Dar poate că voi sunteți obosiți și înfometați?

Exact așa se simțeau, deși nu prea îndrăzneau să zică nimic. Pippi le puse pe masă pâine, brânză, unt, șuncă și friptură rece, lapte din cămară, și se așezară cu toții în jurul mesei din bucătărie. Boboc și Tunet Karlson, și Pippi mâncară pe săturate. Pippi își vărsă puțin lapte într-o ureche.

– Face bine când te doare urechea, zise ea.

– Ce păcat! Te doare urechea? se interesă Boboc.

– Nu, răspunse Pippi. Dar s-ar putea să mă doară!

În cele din urmă, cei doi cerşetori se ridicară de la masă, îi mulţumiră lui Pippi şi o întrebară dacă pot să-şi ia la revedere.

– Ce frumos din partea voastră că aţi trecut pe la mine! Trebuie să plecaţi aşa de devreme? se plânse Pippi.

– N-am văzut pe nimeni care să danseze polca mai bine decât tine, gogoşica mea mică! îi zise ea lui Tunet Karlson. Vezi, să mai exersezi cu pieptenele acela, îi zise apoi lui Boboc, şi n-o să te mai gâdile.

Când ajunseră la uşă, Pippi veni după ei alergând şi le dădu fiecăruia câte o monedă de aur:

– Le-aţi câştigat în mod cinstit, zise ea.

Pippi merge la un ceai

Mama lui Tommy și a Annikăi invitase niște prietene la ceai și, cum făcuse prea multe prăjituri, se hotărî să îi lase pe Tommy și pe Annika să o invite și pe Pippi. Spera, ca în felul acesta, să nu mai aibă și grija copiilor.

Tommy și Annika nu mai puteau de fericire când primiră vestea și alergară direct la Pippi să o invite. Pippi era prin livadă, udând florile, care încă erau cruțate de frigul toamnei, cu o stropitoare de tablă ruginită. Cum în ziua aceea plouase cu găleata, Tommy îi spuse lui Pippi că i se părea că n-ar fi necesar să le stropească.

– *Ţie* îţi vine uşor să spui asta, zise Pippi indignată. Dar eu stau trează toată noaptea, aşteptând cu nerăbdare să vină dimineaţa şi să ud florile. Poţi să pariezi pe orice că ploaia nu mă va opri!

Annika îi dădu vestea cea bună despre invitaţia la ceai.

– Invitaţie la ceai... *Eu?* ţipă Pippi, deve-nind brusc atât de stânjenită, încât îl stropi pe Tommy în loc să stropească tufa de tran-dafiri. O, ce se va întâmpla? Ajutaţi-mă! Mi-e atât de teamă! Dacă nu ştiu cum să mă port în societate?

– Bineînţeles că ştii, o încurajă Annika.

– Nu fi aşa de sigură de asta, spuse Pippi. Eu încerc, credeţi-mă, dar am observat că de multe ori oamenilor nu li se pare că încerc să mă port frumos cu adevărat. Pe mare nu ne făceam niciodată probleme de genul acesta. Dar vă promit că astăzi am să încerc cât pot eu să mă port frumos, ca să nu vă fie ruşine cu mine.

– Bine, zise Tommy, apoi fugi prin ploaie
înapoi acasă, împreună cu Annika.

– După-masă la ora trei, să nu uiți! îi mai
strigă Annika lui Pippi, privind în urmă de
sub umbrelă.

La ora trei fix în acea după-masă, o
domnișoară foarte elegantă urca treptele ca-
sei familiei Settergreen. Bineînțeles, era
vorba despre Pippi Șosețica. De dragul de a
fi diferită, părul ei morcoviu era lăsat liber,
neîmpletit, răvășindu-i-se în jurul capului
ca o coamă de leu. Își vopsise buzele cu
cretă în roșu violent și își înnegrise
sprâncenele atât de tare, încât părea de-a
dreptul periculoasă. Își colorase și unghiile
cu creta cea roșie și își prinsese de pantofi
niște funde mari, verzi.

– Cred că am să fiu cea mai sofisticată la
această petrecere, mormăi ea foarte mulțu-
mită de sine însăși în timp ce suna la ușă.

În salonul familiei Settergreen stăteau
așezate trei doamne foarte distinse, Tommy,
Annika și mama lor. În încăpere fusese

aranjată o masă luxoasă, iar în cămin ardeau vesel buştenii. Doamnele discutau încet una cu alta, iar Tommy şi Annika stăteau pe canapea şi se uitau la fotografii. O scenă foarte liniştită.

Deodată vraja se rupse:

– Atenţieeeeeeeee!

Din holul de la intrare. se auzi un ţipăt înfiorător, iar în clipa următoare Pippi apăru în prag. Ţipătul ei fusese atât de zgomotos şi de neaşteptat, încât doamnele săriră de pe scaune.

– Companie, înainte, MARŞ! mai veni un ţipăt, iar Pippi înaintă cu paşi măsuraţi spre doamna Settergreen. Companie, STAI! Şi se opri. Prezentaţi arm', unu, DOI! strigă ea, luînd mâna doamnei Settergreen într-a sa, scuturând-o cu putere. Genunchii îndoiţi! ţipă ea, făcând o reverenţă graţioasă. Apoi se apropie mai mult de doamna Settergreen, spunându-i pe tonul ei normal:

– Adevărul este că sunt foarte timidă, aşa că dacă nu aş face toată treaba asta ca la armată, aş rămâne în holul de la intrare, nu aş mai îndrăzni să intru.

Zicând acestea se repezi la celelalte invitate şi le sărută pe obraz.

– Încântător, încântător, pe onoarea mea! zise ea, numai pentru că auzise odată un gentleman rafinat zicând aceleaşi vorbe unei doamne.

Apoi ocupă scaunul cel mai bun din câte se găseau în salon.

Doamna Settergreen era convinsă că cei mici se vor retrage în camera lui Tommy şi a Annikăi, dar Pippi stătea foarte liniştită pe locul pe care tocmai îl ocupase, îşi pocnea genunchii cu palmele, zicând, cu ochii pironiţi pe trufandalele aranjate pe măsuţa de ceai:

– Ce bine arată! Când începem?

În acel moment, Ella, fata în casă, intră cu ceainicul, iar doamna Settergreen întrebă:

– Să luăm ceaiul acum?

– Eu sunt prima! strigă Pippi şi se înfiinţă la masă din doi paşi. Pe o farfurie îşi înghesui câte prăjituri încăpeau, aruncă cinci cuburi de zahăr într-o ceşcuţă de ceai şi goli jumătate din ceşcuţa cu lapte peste ele, apoi se întoarse la locul ei cu toată captura, înainte ca doamnele să apuce să se îndrepte spre masă.

Pippi îşi întinse picioarele în faţă şi sprijini farfuria cu prăjituri pe vârfurile degetelor de la picioare. Apoi, cu evidentă plăcere, înmuie fiecare prăjitură în ceşcuţa cu ceai şi o împinse în gură toată deodată, încât nu mai putea nici să răsufle. Se ridică în picioare, lovi farfuria precum o tamburină şi se duse din nou la masă ca să vadă dacă a mai rămas ceva. Doamnele o priveau cu reproş, dar ea nici că observă.

Sporovăind veselă, se învârtea în jurul mesei şi mai lua o prăjitură de ici şi de colo.

– Foarte drăguţ din partea dumneavoastră să mă invitaţi şi pe mine, zise ea. Nu am mai fost niciodată la un ceai până acum.

Pe masă rămăsese o prăjitură mare cu frişcă. Avea în vârf o cireaşă confiată, chiar în mijloc. Pippi stătea cu mâinile la spate şi privea prăjitura. Deodată, se aplecă peste masă şi prinse cireaşa cu dinţii. Din păcate, se aplecă prea repede, fiindcă atunci când reveni în poziţia ei iniţială, toată faţa îi era acoperită cu frişcă.

– Ha! ha! ha! râse Pippi cu gura până la urechi. Acum putem să ne jucăm de-a baba oarba, fin'că nu mai văd nimic!

Scoase limba cât putu de mult şi se linse pe faţă:

– Ei, asta e, zise ea. Şi prăjitura e distrusă oricum, aşa că nu mai contează dacă o mănânc pe toată, imediat.

Şi chiar aşa şi făcu. Atacă prăjitura cu o spatulă de prăjituri şi nu trecu mult timp până când desertul dispăru cu totul. Pippi îşi freca burtica, satisfăcută. Doamna Settergreen plecase în bucătărie un moment şi nu ştia nimic de incidentul cu prăjitura. Dar celelalte doamne se uitau foarte supărate la Pippi fiindcă şi lor le-ar fi plăcut să guste din prăjitura aceea. Pippi observă că arătau un picuţ cam nemulţumite şi se decise să le înveselească:

– Ei, nu trebuie să vă supăraţi dintr-o chestie atât de mică, zise ea, ca să le consoleze. Important e că suntem sănătoşi cu toţii. Şi la o petrecere ca asta trebuie să ne distrăm.

Cu aceste cuvinte, luă zaharniţa şi împrăştie mare parte din zahăr pe podea:

– Aţi văzut vreodată ce distractiv este să calci pe zahăr? le întrebă ea pe doamne. E şi *mai* distractiv să mergi în tălpile goale, continuă ea, scoţându-şi pantofii şi şosetele. Ar trebui să încercaţi şi voi, fin'că nu-i nimic mai plăcut, pe cuvântul meu.

Dar tocmai atunci doamna Settergreen se întoarse în salon; dând cu ochii de zahărul de pe jos, o apucă pe Pippi de braţ şi o conduse până la canapeaua pe care stăteau Tommy şi Annika. Apoi se alătură invitatelor sale şi le mai oferi nişte ceai. Dispariţia prăjiturii o mulţumea pe deplin. Credea că invitatelor le plăcuse atât de mult, încât o mâncaseră pe toată!

Pippi, Tommy şi Annika vorbeau pe şoptite între ei pe canapea, focul trosnea în şemineu, doamnele sorbeau ceaiul fierbinte, pacea şi liniştea reveniseră în salon. Cum se mai întâmplă pe la ceaiuri, doamnele ajunseră să vorbească despre servitoarele lor. Nici una dintre ele nu părea să aibă o fată în casă destul de bună, nu erau deloc mulţumite şi erau toate de acord că cea mai bună soluţie era să nu ţină deloc fată în casă. Era mult mai bine să faci totul cu mâna ta, pentru că numai aşa puteai să fii sigur că treburile sunt făcute cum trebuie.

Pippi stătea pe canapea şi le asculta şi, după un timp, se băgă şi ea în discuţie:

– Bunica mea a avut odată o fată în casă pe care o chema Martha. Avea degerături la picioare, dar altfel nu era nimic în neregulă cu ea. Singurul lucru mai ciudat era că, imediat ce intrau străini în casă, Martha se repezea la ei şi îi muşca de picior. Şi îi blestema! O, ce îi mai blestema! Tot cartierul o auzea. Dar era felul ei de a fi jucăuş. Străinii însă nu înţelegeau întotdeauna atitudinea ei. Odată, nevasta unui preot bătrân venise să o vadă pe bunica, când Martha încă era nouă în casă.

Când Martha s-a repezit la ea şi a muşcat-o
de picior, bătrâna a lăsat să-i scape un ţipăt,
ceea ce a speriat-o pe Martha atât de tare,
încât a strâns din dinţi şi mai tare, fără să mai
poată să-i descleşteze. A rămas ţintuită de
nevasta preotului toată săptămâna, până vineri.
Aşa că bunica a fost nevoită să cureţe cartofii
singură. Dar treaba a fost făcută ca la carte.
A curăţat cartofii aşa de bine, încât atunci
când a terminat nu mai rămăsese nici urmă
de cartof. Doar coji de cartofi. De atunci
nevasta preotului nu a mai venit niciodată în
vizită la bunica. Nu înţelegea de glumă. Iar
Martha, care era atât de veselă şi de haioasă!
Cu toate astea, putea să fie şi arţăgoasă, nu
încăpea îndoială. Odată, când bunica i-a
vârât o furculiţă în ureche, Martha s-a
bosumflat toată ziua. Pippi privi în jurul ei şi
râse prietenos: Ei, aşa era Martha, aşa era ea,
zise apoi, jucându-se cu degetele de la mâini.

Doamnele păreau că nu au auzit nici o
iotă din tot ce spusese Pippi. Îşi continuau
netulburate conversaţia lor:

– Dacă măcar Rosa ar fi *curată*, zise doamna Bergen, aş putea să o ţin în continuare. Dar e ca o scrofiţă.

– O, atunci ar fi trebuit să o vezi pe Martha, interveni Pippi. Martha era atât de îngălată, era cutremurător să o vezi, aşa zicea bunica. Dar era o mizerie care putea fi spălată. Odată, la un bazar la Hotelul Ritz a primit premiul întâi pentru negreala de sub unghii. Numai probleme şi mizerii... Fata aceea era de-a dreptul murdară!

– Îţi poţi închipui, zise doamna Granberg, acum două seri când Britta a ieşit în oraş, pur şi simplu mi-a luat cu împrumut rochia de mătase albastră fără să-mi ceară voie! Păi, asta le întrece pe toate!

– Ei, zise Pippi. Pare să fie din acelaşi aluat ca Martha, atât pot să zic şi eu. Bunica avea o vestă roz la care ţinea foarte mult. Necazul era că îi plăcea foarte mult şi Marthei. În fiecare dimineaţă, bunica şi Martha se certau teribil, să hotărască cine o să poarte vesta roz. În cele din urmă, au căzut la pace şi au

decis să o poarte fiecare câte o zi, una după
alta, ca să fie cinstit. Dar chiar şi atunci
Martha găsea sămânţă de scandal! Câteodată
venea alergând, într-o zi când nu era rândul ei
să poarte vesta şi ameninţa: „Na! Azi n-o să
avem cremă de ţelină la masă dacă nu pot să
mă îmbrac cu vesta roz!" Ei, şi atunci ce
putea să mai facă bunica? Crema de ţelină era
mâncarea ei favorită. Aşa că Martha purta
vesta! Şi când se îmbrăca cu ea, dispărea în
bucătărie şi pasa ţelina cu atâta elan, încât
stropea până şi pereţii.

O clipă domni tăcerea. Apoi doamna
Alexanderson zise:

– Acum, nu sunt absolut sigură, dar sus-
pectez că Hilda a mea fură. Ştiu că au dispă-
rut lucruri din casă.

– Martha... începu Pippi, dar doamna
Settergreen zise pe un ton ferm:

– Copii, acum vă duceţi sus, la voi!

– Da... dar tocmai voiam să vă povestesc
cum fura Martha, zise Pippi. Ca o coţofană!
Repede! Se trezea în toiul nopţii şi fura un

lucru, două fin'că altfel nu putea să doarmă, aşa zicea ea. Odată a furat pianul bunicii şi l-a înghesuit în sertarul de sus al biroului ei. Era foarte pricepută, aşa zicea bunica.

Acum Tommy şi Annika o luară pe Pippi de subsuori şi o traseră în sus pe scări. Doamnele continuară să-şi bea ceaiul, iar doamna Settergreen zise:

– N-ar trebui să mă plâng de Ella a mea, dar sparge cam multe porţelanuri.

Un cap morcoviu apăru în capul scărilor:

– Apropo de Martha, adăugă Pippi, poate vă întrebaţi dacă şi ea spărgea porţelanuri. Bineînţeles că le făcea zob! Îşi alesese o zi anume din săptămână pentru asta. Bunica zicea că e marţea. Şi deja marţea la cinci dimineaţa puteai să auzi stânca aceea de femeie spărgând porţelanurile prin bucătărie. Începea cu ceştile şi paharele, şi alte lucruri mai uşoare, apoi ajungea la farfuriile adânci pentru supă, apoi la cele întinse şi sfârşea cu platourile. Toată dimineaţa se auzeau numai bubuituri din bucătărie şi asta era o binecuvântare, aşa

zicea bunica. Dacă Martha avea niţel timp
liber după-amiaza, se ducea în salon cu un
ciocănel şi dărâma toate farfuriile antice,
aduse tocmai din Indiile de Est, care erau
atârnate pe pereţi. Bunica întotdeauna cum-
păra porţelanuri noi miercurea, încheie Pippi,
dispărând în sus pe scări ca o zvârlugă.

Răbdarea doamnei Settergreen ajunsese la
limită. Alergă pe scări la etaj, până în camera
copiilor, ajungând la Pippi, care tocmai îl
învăţa pe Tommy cum să stea în cap.

– Să nu mai vii niciodată aici, zise doam-
na Settergreen, pentru că te-ai purtat îngrozi-
tor de urât.

Pippi o privi surprinsă, iar ochii i se
umplură încet de lacrimi.

– Asta este. Ştiam eu că nu o să reuşesc să
mă port frumos! zise ea. Nici nu are rost
să încerc. N-o să învăţ niciodată cum se face.
Ar fi fost mai bine dacă rămâneam pe mare.

Apoi făcu o reverenţă pentru doamna
Settergreen, îşi luă la revedere de la Tommy
şi Annika şi coborî încet scările.

Dar şi doamnele plecau. Pippi se aşeză lângă suportul pentru umbrele din holul de la intrare şi le privi cum îşi îmbracă hainele şi îşi aranjează pălăriile.

– Mare păcat că nu vă plac servitoarele voastre, zise ea trist. V-ar trebui cineva ca Martha! N-aţi găsi o fată mai bună, aşa zicea bunica. Numai gândiţi-vă, odată, de Crăciun, Martha avea intenţia să servească un purcel copt, întreg, dar vă imaginaţi ce a făcut? A citit ea într-o carte de bucate că purceluşul de Crăciun trebuie servit pe hârtie încreţită şi cu un măr în gură. Săraca Martha, nu a înţeles că *purcelul* ţine mărul în gură. Ar fi trebuit să fiţi acolo, să o vedeţi cum a apărut în Ajunul Crăciunului, purtând un şorţ alb, proaspăt scrobit şi cu un măr roşu, uriaş, în gură. Bunica i-a zis: „Martha, eşti ţăcănită rău!" şi bineînţeles că Martha nu a mai avut cum să răspundă. Doar a dat din urechi, făcând hârtia să foşnească. Încerca să zică ceva dar nu am auzit decât: „Blab, blab, blab". Bineînţeles, nu mai putea să muşte musafirii de picior aşa cum era ea obişnuită şi tocmai acum, când veniseră atâţia în vizită! Nu, Crăciunul acela nu a fost prea distractiv pentru Martha, zise Pippi cu tristeţe în glas.

Doamnele erau gătite de stradă şi îşi luau la revedere de la gazdă. Pippi se apropie în fugă de ea şi îi zise repede:

– Îmi pare rău că nu m-am purtat frumos. La revedere!

Apoi îşi trase pe cap pălăria ei cât o roată de car şi ieşi afară în urma doamnelor. O luară pe drumuri diferite odată ajunse afară. Pippi se îndreptă spre Căsuţa Villekulla, iar doamnele merseră în direcţia opusă.

Când deja străbătuseră o bună parte din drum, auziră pe cineva gâfâind în spatele lor. Pippi venea ca un bolid spre ele.

– Vă daţi seama că bunicii i-a lipsit foarte mult Martha atunci când a pierdut-o. Închi-puiţi-vă, într-o zi de marţi, când Martha nu spărsese mai mult de un set de ceşcuţe de ceai, deodată a dispărut, a fugit pe un vas. Aşa că bunica a fost nevoită să spargă singură toate porţelanurile în ziua aceea. Şi nici nu era obişnuită să facă acest lucru, săraca de ea, aşa că a făcut bătături la mâini. N-a mai văzut-o pe Martha niciodată de atunci. Şi asta chiar că era păcat, zicea bunica, o fată aşa cum era Martha!

Apoi Pippi plecă, iar doamnele se grăbiră spre casele lor. Dar, când merseră vreo sută de metri, o auziră pe Pippi strigând după ele cât o ţinea gura:

— Marthaaaaaaa nuuu măturaaaaa peee suub paaaaaaatuuuuuuri niciodaaaatăăăăăăă!

Pippi devine o eroină

Într-o după-amiază de duminică, Pippi se întreba ce să facă. Tommy şi Annika erau în vizită cu tatăl şi mama lor la un ceai, aşa că Pippi nu se aştepta să îi vadă pe la ea.

Îşi umpluse ziua cu tot felul de lucruri plăcute. Se trezise dis-de-dimineaţă şi îi servise Domnului Nelson micul dejun la pat: suc de fructe şi chifle proaspete. Domnul Nelson era aşa de drăguţ, cum stătea el rezemat în pat, în cămăşuţa lui de noapte de culoare bleu, ţinând paharul cu suc cu ambele lăbuţe. Apoi Pippi hrănise şi periase calul, spunându-i o poveste lungă despre călătoriile ei pe mare. După aceea, se dusese

în salon şi pictase un tablou cât tot peretele...
direct pe perete.

Tabloul înfăţişa o doamnă plinuţă cu o ro-
chie roşie şi cu o pălărie neagră pe cap. Într-o
mână ţinea o floare galbenă, iar în cealaltă un
şoricel mort. Era un tablou foarte frumos, cel
puţin aşa credea Pippi; lumina toată camera.
După ce pictă, se aşeză lângă dulapul ei şi se
uită la toate ouăle de păsăre, la toate scoicile,
amintindu-şi de locurile minunate pe unde
umblase împreună cu tatăl ei, culegând toate
acele lucruri, şi de magazinele mititele de prin
toată lumea de unde ei doi cumpăraseră toate
acele lucruri delicate, care acum dormeau în
sertăraşele dulapului ei. După aceea, încercă
să îl înveţe pe Domnul Nelson să danseze
polca, dar acesta nu voia să înveţe. Pentru o
clipă, îi surâse ideea de a dansa cu căluţul,
până la urmă însă se chirci în laviţă şi trase
capacul peste ea. Se prefăcu a fi o sardină într-o
conservă de peşte; era mare păcat că Tommy
şi Annika nu erau acolo, să fie şi ei sardine.

Dar acum începuse să se întunece. Pippi
îşi lipi năsucul ei ca un cartofior de geamul
ferestrei şi se uită afară, la amurgul de
toamnă. Apoi îşi aduse aminte că nu călărise
de câteva zile, aşa că se hotărî să facă asta
chiar în acel moment. Ar fi fost un sfârşit fru-
mos pentru o duminică frumoasă.

Aşa că îşi puse pălăria ei cea mare, îl luă
de o mânuţă pe Domnul Nelson, care stătea
într-un colţ jucându-se cu nişte biluţe de
sticlă, puse şaua pe cal şi îl duse din verandă
în livadă. Şi, uite aşa, porniră la drum,
Domnul Nelson în braţele lui Pippi, şi Pippi
pe spinarea calului.

Era atât de frig, încât drumurile înghe-
ţaseră, şi copitele calului loveau cu zgomot
caldarâmul de sticlă. Domnul Nelson stătea
pe umărul lui Pippi şi încerca să agaţe ramu-
rile pe lângă care treceau, dar Pippi călărea
atât de repede, încât nu reuşea. În schimb,
primi o groază de plesnituri şi bobârnace
peste urechi de la rămurelele care vâjâiau pe

lângă ei, şi avea mari probleme încercând să-şi ţină pălărioara pe cap. Pippi trecea călare prin orăşel, în timp ce trecătorii alarmaţi se dădeau la o parte din calea ei, lipindu-se de zidurile caselor, să se ferească.

Toate orăşelele de provincie suedeze au o piaţă, iar acest orăşel nu era o excepţie. În jurul pieţei se găseau primăria, vopsită toată în galben, şi nişte case arătoase, cu un singur etaj. Lângă ele era şi o casă mai şubredă. Era o clădire nouă, cu trei etaje, care era supranumită „Zgârie-nori" pentru că era cea mai înaltă clădire din oraş.

În această seară de duminică, orăşelul părea un loc foarte liniştit şi paşnic. Dar deodată vraja fu ruptă de un strigăt puternic:

– Arde Zgârie-norii! Foc! Foc!

Începură să alerge oameni din toate direcţiile, cu ochii holbaţi de şoc şi teamă. O maşină de pompieri trecu pe străzi cu un zăngănit strident. Copiii din oraş, cărora înainte li se părea că e foarte distractiv să te

uiţi la maşina de pompieri erau atât de spe-
riaţi acum, încât începură să plângă fiindcă
erau convinşi că şi casele lor vor lua foc.
Locul din faţa acelui Zgârie-nori forfotea de
oameni. Poliţiştii încercau să-i ţină la dis-
tanţă, ca să nu le stea pompierilor în drum.

Prin ferestrele clădirii ieşeau limbi de foc,
iar pompierii care luptau plini de curaj cu
focul erau înconjuraţi de fum şi de scântei.

Focul pornise de la parter, dar se întinsese
rapid la etajele superioare. Deodată, oamenii
care erau adunaţi în piaţă văzură o privelişte
care îi îngrozi. Sus de tot, pe casă, era o man-
sardă, iar la ferestruica mansardei, care toc-
mai fusese deschisă de o mânuţă de copil,
stăteau doi băieţei, strigând după ajutor.

– Nu putem să coborâm fiindcă cineva a fă-
cut focul pe scări! ţipa cel mai mărişor dintre ei.

Avea numai cinci ani, iar fratele lui era cu
un an mai mic. Mama lor ieşise în oraş
cu treburi, iar acum cei doi fraţi stăteau acolo
singuri-singurei. Jos, în piaţă, câţiva oameni

începură să plângă, iar şeful brigăzii de pompieri părea neliniştit. Bineînţeles că pe maşina pompierilor era montată o scară, dar nu era atât de lungă încât să ajungă până la ferestruica aceea. Şi era imposibil să intri în clădire să salvezi copiii. Oamenii din piaţă fură cuprinşi de disperare când realizară că cei doi fraţi nu putea fi ajutaţi în nici un fel. Iar copilaşii prinşi în capcană stăteau acolo, sus, şi plângeau. Nu avea să treacă mult timp până când focul urma să cuprindă şi mansarda.

Pippi era pe calul ei chiar în mijlocul mulţimii din piaţă. Privea cu mult interes maşina pompierilor şi se întreba dacă să-şi cumpere şi ea una la fel sau nu. Îi plăcea pentru că era roşie şi pentru că făcuse atât de mult zgomot când trecuse pe stradă. Apoi se uită spre focul învolburat şi i se păru chiar distractiv când nişte scântei căzură pe hainele ei.

Până la urmă însă, dădu cu ochii de cei doi băieţei rămaşi în cămăruţa de la mansardă. Spre surprinderea ei, lor focul nu li se părea la fel de distractiv. Asta era peste puterile ei de înţelegere, aşa că fu nevoită să întrebe pe cineva din apropiere:

– Ce au copilaşii de plâng?

La început nu primi decât sughiţuri de plâns drept răspuns, dar un bărbat mai durduliu o lămuri:

– Păi da' de ce crezi? Nu crezi că şi tu ai plânge dacă ai fi acolo, sus, şi nu ai avea cum să te dai jos?

– Eu nu plâng niciodată, zise Pippi. Dar acum, dacă chiar vor să se dea jos de acolo, de ce nu îi ajută nimeni?

– Pentru că e imposibil, de-asta, zise durduliul.

Pippi cugetă o clipă:

– Poate să aducă cineva o frânghie lungă-lungă? întrebă ea.

– Ei, şi la ce ne-ar ajuta asta? se stropşi durduliul. Copiii sunt prea mici ca să coboare pe frânghie. Şi cum le-ai trimite un capăt de frânghie acolo sus, la ei?

– A, pe mare înveţi tot felul de chestii, zise Pippi. Am nevoie de o frânghie.

Nimeni nu credea că ar ajuta la ceva, totuşi Pippi obţinu frânghia pe care o ceruse.

Pe lângă Zgârie-nori creştea un copac foarte înalt. Vârful copacului ajungea cam în dreptul mansardei, dar distanţa dintre ele era de cel puţin trei metri. Coaja de pe trunchiul copacului era necrăpată şi nu era nici o ramură pe care să te poţi sprijini să urci în copac. Nici măcar Pippi nu ar fi reuşit să se cocoaţe în copacul acela.

Focul ardea în continuare, copiii din mansardă ţipau înspăimântaţi, iar oamenii din piaţă plângeau pentru ei.

Pippi coborî de pe cal şi se îndreptă spre copac. Apoi luă frânghia şi o legă de codiţa Domnului Nelson.

– Acum, o să fii băiatul cuminte al lui Pippi, nu-i aşa? zise ea.

Apoi îl puse pe trunchiul copacului şi-l împinse uşor în sus. Domnul Nelson înţelegea foarte bine ce are de făcut aşa că se urcă ascultător în copac. Nu era nici o greutate pentru o maimuţică.

Oamenii adunaţi în piaţă îşi ţineau respiraţia privindu-l pe Domnul Nelson. Maimuţica ajunse curând în vârful copacului. Acolo se opri pe o ramură şi privi în jos, spre Pippi. Fetiţa îi făcu semn să coboare şi maimuţica exact asta făcu, dar coborî pe cealaltă parte a ramurii, astfel încât atunci când atinse din nou pământul, frânghia atârna de ramură.

– Domnule Nelson, ce deştept eşti! Ai putea să devii oricând profesor, zise Pippi eliberându-l de frânghie.

În apropiere era o casă în renovare. Pippi fugi repede într-acolo şi luă o scândură lungă. O ţinu sub braţ, prinse un capăt de frânghie cu cealaltă mână şi apoi începu să urce pe trunchiul copacului. Se cocoţă cu mare uşurinţă până în vârful copacului, iar oamenii se opriră din plâns de uimire. Când ajunse în vârf, sprijini scândura de o ramură

solidă şi o împinse uşor spre fereastra mansardei. Scândura stătea acum ca un pod între vârful copacului şi fereastră.

Oamenii din piaţă priveau în tăcere. Suspansul era atât de mare, încât nimeni nu mai era în stare să zică o vorbă. Pippi păşi pe scândură. Le zâmbi prietenos celor doi copilaşi:

– Păreţi puţin nefericiţi, zise ea. Vă doare burtica? Alergă repejor peste scândură şi sări înăuntrul mansardei. Mi se pare cam prea căldut aici, zise ea. Nu o să mai trebuiască să faceţi focul două zile de-acum înainte. Şi chiar şi atunci, doar un foc mititel.

Apoi luă câte un băieţel sub braţ şi păşi din nou pe scândură.

– Acum o să ne distrăm niţel, zise ea. E cam ca mersul pe sârmă.

Şi când ajunse la mijlocul scândurii, ridică un picior drept în aer, exact cum făcuse la circ. Prin marea de oameni trecu un murmur de înfiorare şi când Pippi îşi pierdu unul dintre pantofi o clipă mai târziu, câteva bătrânele leşinară. Dar Pippi ajunse înapoi în copac fără nici o problemă, cu tot cu cei doi băieţei, iar mulţimea chiui de fericire, chiuiturile lor umplând aerul rece al serii şi înecând zgomotul incendiului.

Apoi Pippi trase de frânghie înspre ea şi legă strâns unul din capete de o ramură a copacului. La celălalt capăt îl legă pe unul dintre băieţei şi apoi, încet şi cu mare grijă, îl coborî în braţele mamei sale fericite, care aştepta şi ea în piaţă laolaltă cu ceilalţi. Cu lacrimi în ochi, femeia îşi luă băieţelul în braţe. Dar Pippi strigă:

– Puteţi să desfaceţi frânghia? Mai am unul aici, şi nici el nu poate să zboare!

Unii dintre oameni ajutară la desfacerea nodului şi îl eliberară pe băiat. Pippi făcea nişte noduri, mamă-mamă! Învăţase arta asta pe mare. Apoi trase din nou frânghia sus şi veni rândul celuilalt băieţel să fie trimis jos, pe pământ.

Acum, numai Pippi mai rămăsese în co-
pac, aşa că sări pe scândură şi toţi oamenii o
priviră şi se întrebară ce avea de gând să facă.
Pippi dănţuia încolo şi încoace pe scândura
îngustă. Îşi ridica şi îşi cobora braţele cu
graţie şi cânta cu o voce atât de răguşită,
încât oamenii din piaţă de-abia o mai auzeau:

Un foc arde,

Flăcările-s mari,

O, un foc arde ca un soare!

Arde pentru tine,

Şi arde pentru mine,

Şi arde pentru toţi cei ce dansează

în noapte!

Şi cum cânta, dansa din ce în ce mai avân-
tat, şi mulţi dintre cei rămaşi cu picioarele pe
pământ închiseră ochi de frică, pentru că erau
siguri că fetiţa va cădea şi se va răni. Flăcări
uriaşe ieşeau prin ferestruica mansardei şi o
puteau vedea clar pe Pippi la lumina focului.

Fetiţa îşi ridică braţele spre cerul înstelat şi pentru că o ploaie de scântei îi cădea pe faţă, strigă:

– Ce foc minunat, absolut minunat! apoi sări direct pe frânghie. Heeeeiiiiii! ţipă ea, îndreptându-se spre pământ cu viteza fulgerului.

– Trei ovaţii pentru Pippi Şoseţica! strigă şeful brigăzii de pompieri.

– Uraa! Uraa! Uraa! strigă mulţimea.

Dar cineva strigă de *patru* ori. Era vorba, bineînţeles, de Pippi.

Pippi își serbează
ziua de naștere

Într-o zi, Tommy și Annika găsiră o scrisoare în cutia poștală. Pe ea scria: „Pentru Tmmy Ș Anika". În ea găsiră o hârtie pe care stătea scris:

TMMY Ș ANIKA VOL VENI LA PIPPI LA PETLECERE MÎNE LA PLÎNZ. ȚINUTA: CUM DOLIȚI.

Tommy și Annika erau atât de încântați, încât începură să țopăie și să danseze. Ei înțeleseră tot ce era scris pe bilet, în ciuda curioasei ortografii folosite.

Pippi avusese mari probleme în a-l scrie. În perioada în care fusese pe mare, unul dintre marinarii de pe vasul tatălui ei, stătea cu ea din când în când și încerca să o învețe să scrie. Din păcate, Pippi nu era un copil foarte răbdător. Spunea brusc:

– Nu, Fridolf (Fridolf era numele marinarului), nu, Fridolf, mă doare în cot de toate astea. Mă voi cățăra până în vârful catargului, să văd cum va fi vremea mâine.

Așadar, nu e de mirare că a scrie era o sarcină dificilă pentru ea. O noapte întreagă se chinuise cu invitațiile la petrecere și, când orele dimineții se apropiaseră, ea merse hotărâtă către casa celor doi şi strecură scrisoarea în cutia lor poştală.

Imediat ce au venit acasă de la şcoală, Tommy şi Annika au început să se îmbrace pentru petrecere. Annika o rugă pe mama ei să-i onduleze părul. După care îşi puse în el o imensă panglică roz. Tommy îşi udă părul şi-l pieptănă lipit de cap. El chiar nu înţelegea la ce sunt bune buclele şi toate chestiile astea. Annika a vrut să-şi pună cea mai bună rochie a sa, dar mama ei îi spuse că nu merită efortul, deoarece Annika rareori era curată şi aranjată când se întorcea de la Pippi; aşa că Annika trebui să se mulţumească cu o rochie aflată pe locul doi în topul preferinţelor ei. Lui Tommy nu-i păsa prea mult cu ce e îmbrăcat, atâta timp cât se simţea bine.

Bineînţeles, trebuiau să-i ducă un cadou lui Pippi. Luară bani din propriile puşculiţe şi, în drum spre casa ei, s-au oprit la un magazin de jucării de pe strada principală şi au cumpărat o foarte frumoasă... ei bine, acest

amănunt poate rămâne secret pentru o vreme.
Când Tommy şi Annika au fost gata, Tommy
luă pachetul şi plecară în fugă, în timp ce
mama lor îi avertiza să fie atenţi cu hainele
lor. Annika avea să ducă şi ea pachetul o
vreme şi ei căzură de acord ca atunci când îl
vor înmâna să-l ţină amândoi.

Era târziu în noiembrie şi amurgul venea
devreme. Când Tommy şi Annika ajunseră la
porţile Căsuţei Villekulla, se ţineau strâns de
mână, pentru că era foarte întuneric în livada
lui Pippi. Copacii bătrâni, care îşi pierduseră
şi ultimele frunze, suspinau şi murmurau în
bătaia vântului.

– Este într-adevăr toamnă, spuse Tommy.

Era mult mai plăcut să vezi Căsuţa Villekulla
pe lumină şi să ştii că petrecerea era înăuntru.

În mod normal, Tommy şi Annika intrau
tiptil pe uşa din spate, dar acum intrară pe uşa
principală. Nu se vedea nici un cal pe verandă.
Tommy ciocăni politicos la uşă. Dinăuntru se
auzi o voce sumbră:

– O, cine vine în noaptea rece şi întunecoasă

Să bată cu putere în uşă, la mine-acasă?

Să fie o fantomă, un strigoi fioros,

Sau doar un amărât de şoricel prost?

– Nu, Pippi, suntem noi! se smiorcăi Annika. Deschide uşa!

Pippi deschise.

– Of, Pippi, de ce ai spus chestia aia cu fantoma? M-am speriat! spuse Annika, aproape uitând să o felicite pe Pippi.

Pippi râse din inimă şi deschise uşa bucătăriei. Cât de bine era la lumină şi la căldură! Petrecerea urma să aibă loc în bucătărie, pentru că era mai plăcut acolo. În rest, mai erau doar două camere la parter. Una era salonul, care avea o singură piesă de mobilier, şi cealaltă era dormitorul lui Pippi. Dar bucătăria era mare şi spaţioasă, iar Pippi o dichisise şi o înfrumuseţase. Pusese covor pe podele şi pe masă era un material cusut chiar de ea. Florile pe care le brodase ea arătau, într-adevăr, puţin cam ciudat, dar Pippi spunea că flori ca acelea

creșteau în Indochina, așa că totul era în or-
dine. Trase perdeaua și aprinse focul în șe-
mineu, iar scânteile începură să sară. Domnul
Nelson stătea pe o cutie de lemn și lovea două
capace de cratiță între ele, iar, într-un colț mai
îndepărtat, stătea calul. Bineînțeles că și el fu-
sese invitat la petrecere!

Abia acum Tommy și Annika își amintiră
că trebuie să o felicite pe Pippi. Tommy făcu
o plecăciune, iar Annika făcu o reverență
grațioasă, apoi amândoi ținură pachețelul
verde spre ea și rostiră în cor:

– La mulți ani!

Pippi le mulțumi și rupse hârtia colorată
cu multă nerăbdare. Iar în pachețel găsi o
cutiuță muzicală!

Pippi era înnebunită de fericire. Îl luă în
brațe pe Tommy, apoi pe Annika, luă în brațe
cutiuța muzicală, luă în brațe până și hârtia în
care fusese împachetată. Apoi întoarse mani-
vela cea mică a cutiuței și, cu un scrâșnet

subțirel, începu să cânte o melodie care ar fi vrut să fie *Cu cât suntem mai aproape*.

Pippi învârtea și tot învârtea de manivelă și uită de orice altceva. Dar, deodată, își aduse aminte de ceva.

– O, dragii mei! zise ea. Trebuie să vă dau cadourile voastre!

– Dar azi nu este ziua noastră, observă Annika.

– Nu, dar este ziua mea, așa că și eu pot să vă dau cadouri. Sau este scris pe undeva prin manualele voastre că nu se poate așa ceva? Are ceva de-a face cu „împlutirea", care zice că nu se poate?

– Nu, bineînțeles că poți să faci cum vrei, răspunse Tommy. Deși nu e ceva obișnuit. Dar tare mi-ar plăcea să primesc un cadou!

– Şi mie! zise Annika.

Pippi fugi până pe verandă şi aduse înapoi două pacheţele care se găseau acolo, pe dulap. Când Tommy deschise cadoul său, găsi înăuntru un fluier ciudat din fildeş, iar cadoul Annikăi era o broşă foarte frumoasă în formă de fluture. Aripile erau incrustate cu pietricele roşii, albastre şi verzi.

Acum, dacă toată lumea primise câte un cadou, era timpul să ia loc la masă. Pe masă aşteptau grămezi întregi de prăjituri şi brioşe. Prăjiturile aveau nişte forme cam ciudate, dar Pippi susţinea că aşa se fac prăjiturile în China.

Pippi le turnă în ceşcuţe ciocolată caldă cu frişcă şi se aşeză şi ea, dar Tommy zise:

– Când mama şi tata au invitaţi la cină, domnii întotdeauna primesc biletele în care scrie pe care doamnă au onoarea să o conducă la masă. Cred că ar trebui să facem şi noi la fel.

– Cu toate pânzele sus, zise Pippi.

– N-o să fie la fel de simplu pentru noi totuşi, pentru că eu sunt singurul domn de aici, zise Tommy cam încurcat.

– Prostii! sări Pippi. Vasăzică tu crezi că Domnul Nelson este doamnă?

– O, nu, sigur că nu! Uitasem de Domnul Nelson, se scuză Tommy. Apoi se aşeză pe laviţă şi scrise un bileţel:

Domnul Settergreen are onoarea să o conducă pe Domnişoara Şoseţica.

– Eu sunt Domnul Settergreen, spuse el satisfăcut, arătându-i bileţelul lui Pippi.

Apoi băieţelul mai scrise unul:

Domnul Nelson are onoarea să o conducă pe Domnişoara Settergreen.

– Da, dar vezi tu, şi calul trebuie să aibă un bileţel, spuse cu hotărâre Pippi. Chiar dacă nu poate să stea la masă!

Aşa că Tommy mai scrise un bileţel după cum îi dicta Pippi:

Calul are onoarea să stea cuminte în colţul lui, apoi va primi prăjituri şi zahăr.

Pippi vârî bileţelul sub nasul calului şi îi arătă:

– Citeşte asta şi zi-mi ce crezi!

Şi, cum calul nu avea nici o obiecţie, Tommy îi oferi lui Pippi braţul său şi merseră la masă. Domnul Nelson nu făcu nici un efort să o invite pe Annika, aşa că fetiţa pur şi simplu îl ridică în braţe şi îl aduse cu ea la masă. Maimuţica refuză să stea pe scaun, în schimb se instală direct pe masă. Nici ciocolată cu frişcă nu voia, dar Pippi îi umplu cănuţa cu apă şi Domnul Nelson o luă în lăbuţele lui şi o bău până la fund.

Annika, Tommy şi Pippi se repeziră la prăjituri, iar Annika declară sus şi tare că, dacă în China se fac asemenea prăjituri, atunci ea are de gând să se mute în China când o să fie mare.

După ce Domnul Nelson îşi goli cănuţa, o întoarse cu fundul în sus şi şi-o puse în cap. Pippi îl văzu şi făcu şi ea la fel, numai că ea încă nu îşi terminase ciocolata; un firicel de lichid cafeniu i se prelinse pe frunte şi mai jos de-a lungul nasului. Pippi scoase limba şi opri dezastrul.

– Nimic nu se pierde, zise ea.

Tommy şi Annika linseră cu grijă ceşcuţele lor înainte de a şi le pune pe cap.

Când avură, în sfârşit, burticile pline, iar calul primise şi el tot ce i se promisese, Pippi prinse faţa de masă de colţuri şi o ridică, făcând un fel de boccelută din ea, cu toate ceştile şi farfuriile înăuntru. Îndesă întreaga boccelută în laviţă.

– Întotdeauna mi-a plăcut să fac puţină ordine imediat ce am terminat de mâncat.

Şi acum venise vremea de joacă. Pippi le propuse să înceapă un joc care se numea „Să nu cazi pe jos". Era foarte simplu. Tot ce aveai de făcut era să ţopăi prin toată bucătăria fără să pui piciorul pe jos. Pippi făcu înconjurul încăperii într-o secundă. Dar şi Tommy şi Annika se descurcară binişor. Începeai cu chiuveta şi dacă puteai să-ţi întinzi picioarele destul puteai să treci pe

şemineu, şi de acolo pe laviţă, de pe laviţă pe
un raft şi tot aşa, până ajungeai pe masă. De
acolo treceai peste două scaune şi ajungeai la
dulapul din colţ. Între dulap şi chiuvetă era
vreun metru şi mai bine, dar, din fericire,
acolo stătea calul. Dacă te urcai pe crupa lui
şi apoi pe cap şi săreai exact la momentul
potrivit, aterizai direct pe scândura de uscat
rufe.

Se jucară aşa un timp, iar rochiţa Annikăi
nu mai arăta aşa de frumos cum fusese la
început, iar Tommy era negru ca un coşar...
Se deciseră să se joace alt joc.

– Hai să mergem în pod şi să salutăm stafiile, sugeră Pippi.

Annika se înfioră:

– S... s... sunt *stafii* în pod? îngăimă ea.

– Dacă sunt stafii în pod? O groază! o încurajă Pippi. E plin de tot felul de fantome şi de spirite acolo sus. Dai de ele fără nici o problemă. Vreţi să mergem?

– O...

Atât rosti Annika, şi se uită plină de reproş la Pippi.

– Mama zice că nu există stafii sau fantome, zise Tommy cu îndrăzneală.

– Asta este adevărat, zise Pippi. În oricare alt loc, dar aici nu, fin'că ele trăiesc la mine în pod, toate acolo. Nu are nici un rost să le rogi să se mute. Dar nu fac nimic rău. Doar te pişcă de mână până te învineţesc şi *urlă*. Şi joacă popice cu propriile capete.

– Joacă po... po... popice cu *capetele* lor? şopti, îngrozită, Annika.

– Asta fac, zise Pippi. Haide să mergem şi să vorbim cu ele. Sunt foarte bună la jucat popice.

Tommy nu voia să lase să se vadă că îi era frică şi, de fapt, chiar voia să vadă o fantomă. Ar fi avut ce să le povestească băieţilor la şcoală! Pe lângă asta, se linişti la gândul că fantomele nu vor îndrăzni să facă nimic cât era Pippi în preajmă. Se hotărî să meargă în pod. Săraca Annika nu voia în ruptul capului să meargă acolo, dar se gândi că o fantomă mititică ar fi putut să iasă prin crăpătura uşii de la pod şi să o prindă singură în bucătărie. Asta o făcu să se decidă! Mai bine să fie împreună cu Pippi şi cu Tommy între o mie de fantome decât să fie singură în bucătărie până şi cu cel mai mic pui de fantomă!

Pippi s-a dus prima. Ea deschise uşa podului. Era foarte întuneric. Tommy se agăţă bine de Pippi, iar Annika se ţinea şi mai strâns de Tommy. După aceea urcară scările, care trosneau şi scârţâiau la fiecare pas.

Tommy începu să se întrebe dacă nu ar fi fost mai bine să uite toată povestea. Annika nu mai avea nici o îndoială că aşa ar fi fost cel mai bine. Ea era absolut sigură.

Cu greu ajunseră în capul scărilor şi de acolo în pod. Era cufundat complet în întuneric, cu excepţia unei singure raze de lună, care cobora până pe podea. Era plin de foşnete şi de şuierături în fiecare colţ al încăperii, din cauza vântului ce trecea prin crăpături.

– Salutare vouă, stafiilor! ţipă Pippi.

Dar dacă era vreo stafie pe acolo, atunci ea nu răspunse.

– Bineînţeles! Mi-am dat eu seama, spuse Pippi. S-au dus la o întâlnire a Comitetului Societăţii Spiritelor şi Fantomelor Cinstite!

Annikăi îi scăpă un suspin de uşurare, ea sperând că acea întâlnire a comitetului va dura o lungă perioadă de timp. Tocmai în acel moment, dintr-un colţ al podului se auzi un strigăt:

– Klaawitt!

Şi, în momentul următor, Tommy văzu ceva ce înainta în întuneric către el, şuierând, apoi simţi curent pe frunte şi ceva negru dispăru printr-o ferestruică deschisă. Strigă:

– O fantomă! O fantomă!

Annika începu şi ea să ţipe:

– Sărăcuţa de ea, o să întârzie la întâlnire, spuse Pippi. Asta dacă era o fantomă! Şi nu o bufniţă! În orice caz, nu există fantome. După o vreme continuă: Cu cât mă gândesc mai mult, cu atât sunt mai convinsă că era vorba despre o bufniţă. Dacă cineva susţine că există fantome, o să-l strâng de nas!

– Dar chiar tu ai spus asta! zise Annika, exasperată.

– O, am zis, nu-i aşa? îşi aminti Pippi. Ei bine, atunci va trebui să mă strâng de nas.

Şi acestea fiind zise, Pippi se prinse bine de nas şi îl învârti de câteva ori.

După toate astea, Tommy şi Annika se simţiră ceva mai liniştiţi. Ba chiar prinseră puţin curaj, aşa că îndrăzniră să se ducă până la fereastră şi să privească livada de sus. Nori mari, negri se fugăreau pe cer şi încercau din răsputeri să ascundă luna. Copacii se legănau şi murmurau încet.

Tommy şi Annika se întoarseră de la fereastră. Dar tocmai atunci – o, cât de îngrozitor! – văzură o siluetă albă mişcându-se spre ei.

– O fantomă! ţipă Tommy speriat.

Annika era atât de speriată, încât nici nu mai avea glas. Silueta se apropie şi mai tare de ei. Tommy şi Annika se ţineau unul de celălalt şi închiseseră ochii. Apoi auziră o voce:

– Ia uitaţi ce am găsit! Cămaşa de noapte a tatei era într-un cufăr de marinar, acolo. Dacă îi fac un tiv, pot să o folosesc chiar eu.

Pippi veni spre ei cu cămaşa atârnând pe podele.

– O, Pippi, era să mor de frică! se plânse Annika.

– Dar o cămaşă nu e absolut deloc periculoasă, protestă Pippi. Nu muşcă niciodată, decât atunci când trebuie să se apere.

Pippi se hotărî că era cel mai potrivit moment pentru a cerceta mai bine cufărul de marinar. Îl cără până la fereastră şi îi deschise capacul lăsând lumina palidă a lunii să-i dezmierde conţinutul. Erau acolo o grămadă de haine vechi, pe care le aruncă pe podea, un telescop, vreo două cărţi vechi, trei pistoale, o sabie şi o punguţă cu monede de aur.

– Tidlipum şi podlidai, îngână ea, fericită.

– Ce aventură! zise Tommy.

Pippi adună totul în cămaşa de noapte şi coborâră cu toţii din nou în bucătărie. Annika era extrem de fericită că a scăpat cu bine din pod.

– Să nu laşi armele de foc la îndemâna copiilor, decretă Pippi, luînd un pistol în fiecare mână. Altfel, se poate întâmpla un accident. Zicând acestea, trase cu ambele pistoale deodată. Ăsta a fost un pocnet pe cinste, anunţă ea, privind în sus spre tavan. Două găurele apăruseră în tavan, acolo unde intraseră gloanţele. Cine ştie, zise ea plină de speranţa, poate că gloanţele au ieşit direct prin tavan şi au lovit vreo fantomă direct în picior. Asta o să le înveţe minte, şi de-acum încolo o să se gândească de două ori înainte de a se plimba să-i sperie pe copii. Fin'că, şi dacă nu există, asta nu este o scuză să sperii oamenii. Ţi-ar plăcea un pistol, am uitat să te întreb?

Tommy era încântat de idee, iar Annika zise că şi ea ar vrea un pistol, numai dacă nu era încărcat.

– Acum putem să devenim o bandă de hoţi dacă vrem, zise Pippi, privind prin telescop. Aproape că pot să văd puricii din America de Sud cu chestia asta, continuă ea. Ar fi foarte frumos dacă am putea să ne facem o bandă de hoţi.

Exact atunci se auzi un ciocănit în uşă. Era tatăl lui Tommy şi al Annikăi, venise să îi ia acasă. Ora lor de culcare trecuse de mult, declară el. Tommy şi Annika se grăbiră să îi mulţumească lui Pippi şi să-şi ia la revedere, să îşi adune lucrurile, fluieraşul de fildeş, broşa şi pistoalele.

Pippi îşi conduse musafirii până pe verandă şi îi urmări cum dispar pe cărarea din livadă. Se întoarseră în drum şi îi făcură semn cu mâna. Pippi era învăluită în lumina din casă. Acolo rămăsese, cu codiţele ei ţepoase, roşcovane, încă îmbrăcată în cămaşa tatălui ei. Cu un pistol într-o mână şi cu sabia în cealaltă. Dădea onorul.

Când Tommy şi Annika împreună cu tatăl lor ajunseră la poartă, o auziră pe Pippi strigând după ei. Se opriră să asculte. Vântul urla printre crăcile copacilor aşa că glasul ei de-abia le mai ajunse la urechi. Dar o auziră chiar şi aşa:

— Eu, când o să mă fac mare, o să mă fac pirat, strigă Pippi. Dar voi?

ROALD DAHL

La editura RAO
au apărut

CLUBUL CĂRȚII

rao

Rao pentru copii

Jack și vrejul de fasole
Mica sirenă
Motanul-Încălțat
Pinocchio
Scufița-Roșie

Engleza cu „lipici"
A venit vacanța!
În jurul casei

Jocuri cu „lipici"
Animalele
La țară
Pe plajă
În casă

Cărți ilustrate
Biblia ilustrată
Cartea mea de jocuri
Dicționarul celor mici
E.T. Extraterestrul descoperă...
    comunicațiile
    planeta Pământ
    plantele
    sistemul solar
Lumea basmelor (2 volume)
Marea carte a celor mici
Mega activități
Mega jocuri
Nu știam că...
    poți sări mai sus pe Lună
    rechinii își schimbă mereu dinții
    unele vase au aripi
    unii șerpi scuipă otravă
Viața cotidiană în lumea antică
Adevărul despre...
    copii
    stres
    mămici
    tătici

Basmele copilăriei
Aladdin și lampa fermecată
Cenușăreasa
Cartea Junglei
Frumoasa-din-Pădurea-Adormită
Iepurele și broasca țestoasă

Petrică și lupul
Tom Degețel

Cărți de activități

☆ LOGICO RONDO –
ÎNVĂȚĂM JUCÂNDU-NE
Primăvara, vara, toamna și iarna
Copiii se joacă
Cum ne îmbrăcăm
La grădina zoologică
O zi cu Ioana și Vlad
Sărbătorile copiilor
La circ / La circ (set)
Privim și vorbim /
Privim și vorbim (set)
Ne distrăm și cumpărăm /
Ne distrăm și cumpărăm (set)
Jocuri de calcul (1, 2)
Să gândim logic
Jocuri cu numere
Să circulăm corect
Noi jocuri de concentrare
Să gândim logic
Sudoku peste 6 ani
Sudoku peste 8 ani

☆ FIONNA WATT
Artă și imaginație

Mega activități
Megajocuri
Animale de companie
Animale sălbatice
De la A la Z
E ușor să desenezi
În culori
Natura
Oameni în mișcare
Primii pași
Scăderea, înmulțirea, împărțirea
Ozmo. Metodă de învățare a limbii
engleze, BBC

Micul meu dicționar englez-român
Micul meu dicționar francez-român

Rao junior

Călătoriile lui Gulliver
Cocoșatul de la Notre-Dame
Colindă de Crăciun
Colț-Alb
Black Beauty
Heidi

Huckleberry Finn
Insula comorii
Robin Hood
Robinson Crusoe
Tom Sawyer
Pocahontas

Rao pentru tineri

CLUBUL CĂRȚII

RaO

Tiparul executat de
ALFÖLDI NYOMDA AG
Debrecen, Ungaria